JN021903

原田マハ、アートの達人に会いにいく

原田マハ

新潮社

原田マハ、アートの達人に会いにいく　目次

＊各インタビューの扉の肩書はすべて、インタビュー当時のものです。

原田マハ、アートの達人に会いにいく

福原義春

ふくはら・よしはる

資生堂名誉会長／東京都写真美術館館長

1931年、東京生まれ。父親は資生堂創業者・福原有信の五男・信義。慶應義塾大学在学中は趣味の写真に熱中。卒業後、資生堂に入社。1987年、代表取締役社長。2000～16年、東京都写真美術館館長。2001年、資生堂名誉会長。翌年、フランスのレジオン・ドヌール勲章グラントフィシエ受章。2004年、旭日重光章受章。2018年、文化功労者。

原田　私、20年ほど前、30歳ぐらいの頃に、福原さんにお手紙をさしあげたことがあるんです。当時は伊藤忠商事でアートコンサルタントをやっていたんですが、志を同じくする女性の仲間たちと一緒に、現代アーティストをサポートするアートマネジメントのチームを作ったんです。資生堂さんはすばらしい文化活動をしていらっしゃったから、私たちも追いつきたいという思いがあって、若気の至りで書きました。そうしたらわざわざお返事をくださって。当時の私にとって、どれほど励みになったことか。なんてご丁寧な方なんだろうって思いました。その時、自分に誓ったんです。私も年を重ねてゆくうち、若いクリエイターたち、何か頑張ろうとしている人たちにこういうふうにエールを送る立場になろうって。福原さんからのお手紙は、私の宝物になりました。

福原　そのチームはその後、どうなったんですか？

原田　アートに関するトークショーなどの活動を1～2年続けた後、メンバーがそれぞれやるべきことを見出して、自然に解散しました。

上野のレオナルド展

原田　ところで私、福原さんがＰＨＰ新書からお出しになった『美「見えないものをみる」ということ』を読ませていただいて、心から共感する文章がたくさんありました。中でもあっと思ったのは、福原さんがご覧になった展覧会について。１９４２年に、レオナルド・ダ・ヴィンチの展覧会を上野で見ていらっしゃるんですね。たまたま昨年、大原美術館館長の高階（たかしな）

秀爾（しゅうじ）先生と対談させていただいたとき、その後のお食事会で、高階先生が、マイ・ファースト・アートは小学校5年生のときに見たレオナルド・ダ・ヴィンチ展だっておっしゃっていたんです。まったく同じ展覧会です。

福原　高階先生は、確か僕よりも一つか二つ年齢が下ですね。

原田　その展覧会でものすごい衝撃を受けて、自分は美術の世界に進もうと決めた、とおっしゃっていました。

福原　僕の場合は、それまでにも他に美術展は見ていたはずなんです。父が美術館に行くのが好きだったから連れていかれて。それと資生堂ギャラリーのものを見ていたんじゃないかな。とはいえ、そうそう小学生の心に残るようなものはなくてね。僕がレオナルド・ダ・ヴィンチ展を見て受けた衝撃というのは、高階先生とはまた別のものでした。僕の場合は、レオナルド・ダ・ヴィンチの様々な仕事を知ることで、大砲も城塞もヘリコプターも作って、さらに油絵やデッサンも描く、そういうあらゆることを一人の人がやれるんだ！と思ったわけ。

僕は資生堂の外国部長だった頃に何度もミラノに行きましたが、偶然、レオナルド・ダ・ヴィンチがミラノに住んでから500周年、という年にミラノに行く機会がありました。その年は美術館に限らず、町の図書館やいろいろなギャラリーでレオナルドのものを展示していた。その時たまたま、図書館で彼のデッサンを見たんです。そのテーマが全部「大気」だったのね。大気、つまり空気は、霞や霧や嵐や風やいろいろな状態になります。それをたった鉛筆一本で描き分けていたものだからもう、びっくりしちゃった。

原田　図書館でそういう展示をやるところが、イタリアの懐の深いところですよね。で、上野のレオナルドの展覧会をご覧になったのは、小学生のときですね。

福原　そう。6年生。でも僕は、本当を言えば、展覧会を初めて見るのに一番いい時期は、小学校4～5年生だと思います。6年生だと中学受験でそわそわしちゃうし、3年生だとまだ自分の受けた衝撃や感動を文章に書き表すことができない。それがまとめられるのがだいたい小学校4～5年生です。確か金沢市では小学校4年生が、バスに乗ってみんなで金沢21世紀美術館に行くんです。前館長の蓑豊(みのゆたか)さんが、「金沢の20年後を見てくれ」って言ってましたけど、少なくとも、そうして小さい頃に見ておけば、現代アートに対する違和感はなくなります。

僕の場合も、幼い頃から美術はわりと日常生活の中にあったかな。家の中に梅原龍三郎や山下品蔵(しなぞう)、山本丘人(きゅうじん)、ナタリア・ゴンチャロワの絵があった。それから伯父がフランス絵画のすごいコレクションを持っていました。いつも本物を見られる環境にあったというのは、幸せなことです。

原田　今の若者は本物から遠ざかってしまっていますからね。インターネットも発達して。

福原　だから僕はインターネット上だけで見るのはダメって言ってるんですよ。普通の家に美術作品がないのは仕方のないことなんで、美術館で見た方がいいよって。日本には美術館が各都道府県にあって、しかも世界中のあらゆる時代のものを展示している。自分たちが元々持っていたわけじゃないものをこれだけ公に見せている国って、他にないんじゃないでしょうか。

原田　私も常々、美術館には常設展を見に行ってほしい、と思っています。優れたコレクションがたくさんありますから。特別展の招待券をもらってたまに美術館へ行くことはあるでしょうけれど、コレクション展はわずか500円で見られるし、企画展の1500円の料金に含まれていることもある。その500円や1500円を惜しまないでほしい。それだけのお金を払うことによって、文化財を守ることに参加していると考えてもらいたい。この文化財は私のものではないけれど、私たちのものだと思ってもらいたいです。

福原　亡くなった昭和電工の鈴木治雄（はるお）さんは、〝僕の絵〟は世界中に預けてあると言ってました。パリに行けばあの絵、スペインに行けばこの絵、それを時々見に行けばいいと。世界中のアートは自分のものだから、何も買うことはないと。

原田　私も、世界中どこに行っても淋しくないのは、私にとってアートは友達という感覚があって、海外に行っても、美術館は友達の家で、必ず友達が待っていてくれるから、一人でいても淋しくないんです。鈴木さんのように自分のものだとまでは思えないけれど、友達だと思うことで、慰められています。

福原　そういえば、鈴木さんはよくアートに「会いに行く」とおっしゃってました。

光明皇后はキュレーター

福原　僕はいつか女性原理の話をまとめようと思っているんです。

原田　それはどういうお話になるんですか？

福原　例えば中国で言うと、長江あたりの文明は女系社会だといわれるんだけれど、僕は日本もある意味でそうだと思います。というのは、日本の場合、文学や思想はみな女性から出ているんじゃないかと思うからです。文学だと、紫式部がいます。ヨーロッパだとそれがホメロスだったり、ダンテだったり、ゲーテだったり、セルバンテスだったりして、みんな男性ですよね。日本では文字にしても、女手というものが、仮名を確立してきたでしょう。だから文学系のものは女性の力が強いんじゃないかと考えているんです。

天照大神がグレイト・マザーで、卑弥呼がシャーマン。そして光明皇后という方がいます。光明皇后は夫君の聖武天皇が亡くなった後、とにかく聖武天皇が持っていたものをぜんぶ正倉院に集めたでしょう。これが日本の文化の根本だと僕は思っているんです。なぜならそこには中国風あり、ペルシャ風あり、日本風あり、違うものが渾然一体となっている。よく外国の方に「日本文化とは？」って聞かれると、答えにつまるんですよね。たとえば俳句、あるいはお寿司。でもそれらは日本文化のほんの一部にすぎない。日本の文化で重要なのは、まず自然に影響を受けて、自然を理解する人間によって育まれてきた、ということ。それがどうも女性によって先導されてきたんじゃないかと僕は思うんです。

原田　たしかに正倉院というのは、あの時代のグローバルなものを集めていますから、ミュージアムの走りのようなものですよね。大英博物館やメトロポリタン美術館よりはるかに昔にわが国に正倉院があったというのは、すごいことです。そしてそれが今もちゃんと伝わっているというのがまた、すごい。ものすごく大きな戦争や災害もあったでしょうけれど、その中で正倉院が護られてきたのは、千何百年にわたる奇蹟ですよね。

福原　光明皇后というのは、つまり、アーキヴィストの先祖ですよね。

原田　アーキヴィストで、ソフィストで、キュレーター。光明皇后は日本のキュレーターの始祖！　それは新説ですね。

日本とフランス

原田　私は最近、フランスのことを小説のテーマにすることが多くて、よくフランスに行くんですけど、フランス人は日本の文化が好きですよね。

福原　そうですね。僕は日仏クラブという会議体の日本側の議長をやっていて、近々、文化交流に関するスピーチをする予定ですけど、そこで言おうとしているのは、フランスというのは、フランス語で言うところの「コノスール」つまり、賞味者なんですよね。フランス人がいいと思えば、世界が共感する。長い間、そうした味見役をしてきたわけです。ところがここ数年、フランスの味見の技は衰えてきたんじゃないかと思うんです。

原田　なぜでしょう？　若い人たちが自分たちの味見役としての責任みたいなものを意識しなくなってきたから？

福原　そうかもしれませんね。たとえばかつてはパリコレで評判になれば世界中で評判になっていたでしょう。森英恵(はなえ)さんだって、三宅一生さんだってそう。それが、最近ではパリコレの力も、そうでもない。だけど不思議なことに、日仏の両国はよくわかりあうんですよ。フランス人にとっても日本文化は魅力的なようです。それはどちらも伝統があるからですね。何百年ものアートの伝統を持っているもの同士。明治の初めから日本の絵描きはみんなフランスに勉強に行ってました。パリで頻繁に万博をやったことも大きいでしょうね。

原田　東京は、そんなフランスのような、あるいはパリのような、文化発信地になるでしょうか。これから２０２０年のオリンピックまでの間に。

福原　なり得ると思います。東京は実は文化の集積がものすごいですよ。そもそも、世界中の交響楽団の演奏会が毎日どこかでなされている国なんて、ありませんからね。

日本の写真

原田　そういえば、福原さんが館長を務めていらっしゃる東京都写真美術館はこの秋から2年ほど休館に入られてしまうんですね。

福原　改修の必要があってね。僕はもう13年ほど館長やっているから、もうそろそろ代えてくれって言ってるんです。僕が就任してから年間20万人だった来館者が40万人になったから、次の人に交代したら今度は60万人になる（笑）。

原田　写真は日本でも、もうすっかりアートとして定着してきましたね。日本にはいい写真家がいっぱいいて、絵画や彫刻よりむしろ海外に出やすいのかもしれません。日本のアーティストというと、海外では写真家の名前を挙げる人もいますから。

福原　ニューヨークの近代美術館やサンフランシスコの近代美術館も、写真のセクションはありますね。僕たちは、収蔵品の数ではとても太刀打ちできないけれど、日本の写真家のものについては決定的にいいものを持っているから、そういう美術館ともけっこう対等にやりとりできる。写真については、借りるだけじゃなく、だんだん、貸し出すようになってきています。

ひと苦労する

原田 最後に、福原さんから若い人に、何かメッセージのようなものをいただけますか。

福原 機械を捨てて、自然に戻れってことかな。なかなかそうはいかないかもしれないけれど、たまに人間に戻ってみてはどうかというのが僕の意見です。

原田 たとえば携帯のスイッチを切ってどこかに出かけるとか？

福原 あるいは2日間、瀬戸内国際芸術祭に出かけてみるとか。それで十分じゃないかな。僕の会社の人のお嬢さんで、小学校4年生でちょっと体調がおかしくなったお子さんがいて、お医者さんに連れていったら、これは自律神経障害だと診断されたんですけど、越後妻有の大地の芸術祭に1週間ほど行ったら、治ったそうです。自然とアートの力じゃないかと思いますね。

原田 今の時代はインターネットが便利だし、そういうものにずっとさらされていると、世界のニュースは入ってくるし、自分からも発信している気分になる。仮想空間の中で社会とつながっているイメージ。でも、機械を介してつながっていることと、実際に自分が現場に出て行って、フェイス・トゥ・フェイスで誰かと会ったり、本物のアートを見るというのはまったく別の質のものだと思います。

福原 オリジナルに接しなさいと僕も常に言っています。墨汁を買ってきてケント紙に書いたって構わないけれど、昔の七夕の慣わしのように芋の葉に溜まった水滴を集めて墨を擦って字を書く、そういうことをたまにはやってみたほうがいいよって、薦めてきました。

原田　ひと苦労するというか、私たちは本当にそういう時間を忘れてしまっています。あと、福原さんのご著書の中に出てくるフランスの詩人で、外交官として日本に赴任したこともあったポール・クローデルの言葉には、じんときました。私が世の中でいなくなってほしくない民族は日本人だ。彼らは貧しく、そして高貴だ、と。

福原　今はあまり貧しくないから高貴さが失われてしまったんでしょうかね。彼は、日本人というのは遊び好きで、絶えず面白いものを求めていると書いています。貧しくとも、そうした精神は一種の高貴さにつながっていたのだと思います。

（２０１４年３月11日　東京・銀座の資生堂本社にて）

【インタビューを終えて】

20代でアートの世界に入ってから、私は常に資生堂を意識して生きてきた。きれいになるためには資生堂が必要だったし、アートの支援者としてその名前をしばしば目にしたからだ。そして福原義春さんは資生堂の権化のごとき方で、憧れの存在だった。福原さんは、今なお日々アートを呼吸し、ごく自然にアートを支援されて、アートな日常を生きておられる方だった。まさしく美のパイオニア、それなのに自然体。私もかくありたい。

小池一子

こいけ・かずこ

クリエイティヴ・ディレクター

1936年、東京生まれ。父親は教育学者・矢川徳光、姉は作家の矢川澄子。早稲田大学卒業後、広告関連の仕事を始める。ハワイ大学留学後の1976年、自身の会社「キチン」を創設。1979年、西武美術館のアソシエート・キュレーターに就任。1983〜2000年、佐賀町エキジビット・スペースを創設・運営。2016〜20年、十和田市現代美術館館長。2022年、文化功労者。

原田　初めて小池さんにお会いしたのは25歳の頃です。当時私はグラフィックデザインの小さな事務所に勤めていたんですけど、現代アートが好きで、小池さんがやっていらした佐賀町エキジビット・スペースを知ったんです。グループ展で森村泰昌さんの作品を初めて見て、すごくショックを受けました。また、その展示空間にも憧れて、佐賀町エキジビット・スペースの入っていた食糧ビルのカフェで週末、アルバイトを始めたんです。1年ぐらい経ってようやく、小池さんとお話することができた。「アルバイトさせていただけませんでしょうか」って。その時は「今はもういっぱいで、ごめんなさいね」っておっしゃったんだけれど、「佐賀町をずっとサポートしてください」と言われたことが、忘れられなくて。その後、伊藤忠商事に入って、仲間と一緒にアートをサポートするチームを作った時に、展覧会をやるために佐賀町のスペースを使わせていただいたことがありました。

小池　あの時一番濃いお付き合いができましたね。

アートとの出会い

原田　小池さんは私にとっていつもファーストランナーで、最前線でアートを護ってくださる方です。なぜアートに関わるお仕事をされるようになったんですか。

小池　ちょっとキザなんだけれど、子供の頃から、世界をどう捉えるかということを考えていました。それで、演劇はすべての世界を統合できると思って、早稲田大学の演劇科へ進んだの。大学ではみんなで創作劇を作っていたんですけど、美術史の専攻の人たちと重なる授業が多く、美術史の人たちに、江戸時代の浮世絵のスライドを作るからナレーションやれって言われたりして、美術の歴史も面白いなって、ビジュアルの仕事に惹かれていました。だから大学を卒業した後、アートディレクターの堀内誠一さんの秘書みたいな、アシスタントみたいなことを始めたの。堀内さんも属していたADセンターというデザイン会社で、コピーライターの仕事をしたんです。子供の頃から文字を書くのが好きだったから。

原田　アーティストになるという選択肢はなかったんですか？

小池　二人の姉がすごく絵が上手で、私には描けないっていうコンプレックスがあったから、アーティストになることは考えなかった。ただ、どうやったらアートの世界にいられるんだろうとは思っていました。そうそう、それで思い出したんだけど、私、中学の頃に、同級生のためにスケッチのプログラムを作ってあげたことがあったの。明治神宮の菖蒲田の花はいつ咲くかとか調べて、スケッチ旅行を組んだら、その時の美術の先生が素敵な方で、私自身は1枚も絵を提出しなかったのに、「優」をくださった。つまり、キュレーターとしての役割を認めてくださった。その記憶はずっと残っていますね。

ところで、コピーライターの仕事をすると、デザインとの関係性を考えながらものを作れる楽しみがあって、それがどんどん自分の仕事になっていきました。ジャーナリスト的な仕事も、キュレーションもやりました。私が30代の頃は日本の経済も上り坂で、いろんなことを提案したし、クライアントに断られたこともありませんでした。私は幸運にも強いアートディレクターと出会って、自分の仕事を面白く開花させることができた。堀内さんはもちろん、田中一光(いっこう)さんや江島任(たもつ)さんと。

原田　その頃、女性のコピーライターなんてそう多くはなかったですよね。

小池　でも、女だからどうこうっていうのはほとんどなかったわね。（デザイナーの）石岡瑛子(えいこ)さんと（イラストレーターの）山口はるみさんとで、私たちは女だからっていう制約を感じたことがないねって、話したことがありました。会社の中では制限があっても、外で仕事するプロをきちんと目指している人には、開かれた時代になっていたんです。

西武と佐賀町

小池　30代の終わり頃に三宅一生さんに誘われて、京都国立近代美術館で、日本で初めての西欧衣服の展覧会を手がけました。その時にアメリカ人のリサーチャーが来て、ハワイ大学に東西文化研究所というのがあるんだけれど、そこでインスタレーションやキュレーションをやりたい若い人はいませんかと訊かれて、思いつかなかったものだから、私じゃダメですかって言ったら、どうぞって。それがきっかけでそれまでの仕事を一度辞めて、ハワイの研究所にいきました。1年間、自分にサバティカルをあげたんです。

原田　ご帰国後に西武美術館でお仕事を始められたんですか？

小池　コピーライターとして宣伝部でお仕事をしたことのあった西武が美術館を作るということだったんで、ハワイに行く直前に、堤清二さんに、キュレーターを志願するとご相談しました。家は父がちょっと変わった人で、絶対に既成の組織に入るなって言われて育ったから、美術館に勤めるつもりはなかったんです。それで帰国後、アソシエート・キュレーターとして働かせてもらいました。

原田　高度成長期の後で百貨店にも力があった時代ですね。

小池　そうです。ただ私は、ロンドンのオルタナティヴな動きに興味があって、自分にはオルタナティヴな活動が向いていると思ったので、西武の仕事をしながら、自分の場所を持ちたいと考え始めたんですよ。企業の仕事で稼いでは、自分の場所に注（つ）ぎこむ。事務所「キチン」に小柳敦子さんが入り、二人でよそさまの展覧会やイヴェントの企画を手がけたりカタログを作りながら自分たちの場所を作っていった。それが佐賀町エキジビット・スペースです。

原田　どうやって場所を見つけたんですか？

小池　いろいろな倉庫を見て回ったけれど、なかなかいいところがなくて、大変でした。結局は小柳さんが見つけてきた昭和2年（1927）建築のビルで。窓の形がパリの小学校みたいな雰囲気ね、なんて言いながら、それまで働いて得たものを全部注ぎこんで修復した。まず床が大事だと思ったの。それから天井高があって、感じのいい空間であること。日本も古い建物の再生ということにようやく目が向き始めた頃だった。

原田　佐賀町エキジビット・スペースは、その先駆けでしたよね。

小池　その頃私には妙に義憤みたいなものがあって、日本には、新しいアーティストの仕事が見られる場所がないって思っていたのね。絶対に才能のある新しい人の仕事だけを押し出したいと思ったの。建物がよかったから、けっこう偉いアーティストにスタジオとして使わせろなんて言われたこともあったけど、お断りして。私は大竹伸朗さんが武蔵美（むさび）に入った頃から気になっていて、日本でニューペインティングと言えば、あの人しかいないと思っていたの。ちょっと事情があってすぐというわけにはいかなかったんだけれど、１９８７年になってやっと、佐賀町で大竹さんの展覧会ができました。

原田　作品と空間が響きあう、衝撃的な展覧会だったことを覚えています。

小池　大きな美術館や組織の一員ではできないことをやりたいと思っていました。'60年代のサブカルチャーとかアンダーグラウンドというものが、私の血肉になっていたんですね。

原田　反骨精神ですね。暴れている感じが、伝わってきました。小池さんが佐賀町でなさったことは、日本の現代アートの起爆剤になったと思いますよ。先ほど、床が大切だとおっしゃったけれど、'70年代から'80年代初頭の日本のアートシーンって、作品を可動式の壁に吊るすような展示が多かったですよね。

小池　フロアいっぱいの織物、とか。

原田　せっかくロダンが台座を廃止したのに、よそではまたそれを復活させるか!?という感じでした。床面って広いから、インスタレーション作品を展示するときにすごく目立つ、実は大事な部分ですよね。

小池　空間デザインは杉本貴志(たかし)さんに相談して、床は昭和のビルの原形を洗い出して、その上にすこしグレーを入れたワックスを塗ったの。その床が、他のギャラリストをインスパイアしたところはあったみたい。ちょうどポストモダニズムが日本に入り始めた頃だったので、時代の空気を楽しんで、反映したのね。柱無しの５メートルの天井高で、よくあんなものが残っていてくれたと思うな。展示については、アーティストに、あなたはこの空間をどうしますか、っていうところから詰めていったのね。ほとんどの人が自分で模型を作って、私たちもいい勉強になりました。

原田　独立されたときに年齢や時代的なことは意識されました？

小池　あまり意識してないですね。私はとにかく人との出会いに恵まれてきて、何ごとも自然発生的なの。本当に、私は野の草、野草みたいなものよ。

原田　自然に人が集まってくる。小池さんは内側から出ているものがあるから、その光は見る人が見ればわかるんですよ。それは小池さんが見つけてきたアーティストたちに関しても同じ。キラ星のようなアーティストたちには、どういう風に声をかけられたんですか？　たとえば森村さんや内藤礼さんは、佐賀町がファースト・アピアランスですよね。

森村、内藤、キーファー

小池　森村さんに関しては、彼が属していた大阪のアーティストのグループから面白い手紙が届いたの。「YESART」っていうチーム。彼らの前の世代はそれまでの世代や潮流を否定してNONから始まっているけれど、自分たちはこの時代を肯定して作っていこうとしているからYESARTなんだって。私は関西のアーティストは知らなかったから、これは面白いと思って、彼らの活動のスペシャル版ということで、「YESART DELUXE」展というのをやったの。私自身がNONと言ってきた世代だったから、とても新鮮でした。そのグループ展の中から森村さんを見つけたんです。自分をメディアにして、自分しかないっていうスタンスで作っている思い切りのよさが、ストンときた。それで、個展しませんかってお話をして2年後にやりました。

グループ展の時の森村さんの作品はヴェネツィアにも行って、佐賀町のおんぼろファクスに、ヴェネツィアから、モリムラという人の作品を買いたいというリクエストが届いた時は、びっくりした。私はギャラリービジネスなんてまったくわかっていなかったから、オタオタしちゃって。でも、森村さんは今でも本当にいい仲間で。そういう作家との出会いというのは、単なる友情じゃないわね。

原田　ものすごく強い絆ですよね。アーティストは忘れられないと思いますよ。内藤礼さんはどんな方でした？

小池　武蔵野美術大学の卒展が面白いと言われてなるべく見るようにしていたんだけど、ある年の卒展で面白いと思った3人の展覧会を佐賀町でやったことがあったの。その中で内藤さんの作品が際立っていて、巫女みたいな不思議な人だなぁって一瞬で気に入っちゃったんです。静かに自分が作りたいものをやっている人だった。その後にもっと大きいのを作りたい、しかもメインの大きなスペースでやりたいって言うから、びっくりして、2年間、お互いに考えてからやりましょうって言ったの。2年経って彼女のアパートを訪れたら、立って歩くこともできないほどたくさん、微細な作品を作っていた。既に構想があったのね。ネルのような素材で楕円形のテントを作り、その中でひとり15分間だけ鑑賞というインスタレーションにしたものだから、1時間に4人しか見られなくて、最後は5分ずつになったはず。

原田　よく覚えてます。そういうアーティストが日本にいることに驚きました。

小池　たまたま日本にお忍びで来ていたアンゼルム・キーファーがそれを見てすごいって、僕もこういうところでやりたいって、それでセゾン美術館のキーファー展と同時期に佐賀町でもキーファー展をすることになったんです。考えてみたらキーファーを連れてきてくれたのは三宅一生さんで、一生さんとの友情も不思議なご縁なんですよね。内藤さんの作品はフランスのリサーチャーの目にもとまって、その後、パリでの個展にもつながった。

原田 来て、集まって、見て、発信されてゆく。そういう場所ってすごい。

小池 そうね。キーファー展のときは、作品が大きすぎて入らなかったから、実は古い窓をすこし広げました。費用に関してはセゾンが全面的に協力してくれた。

セゾン・カルチャー

原田 私はセゾンのキーファー展も見ましたけど、私たちの世代って、セゾン・カルチャーの申し子なんですよね。セゾン美術館の閉館は、とても残念でした。

小池 堤清二さんは美術館を作るとき、確か「時代精神の根拠地として」という言葉を使っていらした。東野芳明さんがブレーンで、最初から果敢に現代美術をやろうとしていたんです。

原田 確かにセゾンでやるものにははずれがない、とにかく見ておくということが、自分の中でひとつのマイルストーンになっていました。あれほど元気な現代アートシーンは、今はもうない。現代アートは市民権を獲得して、アレルギーを持つ人も減った。だけど、どうして今はこんなにパンチがないのかなと思う。

小池 今のようになんでもある時代、アートを選ぶという覚悟は、作る側も見る側も難しい。でもアートを見るなら、すこしは勉強もしてほしい。ただ楽しければいいってものじゃないでしょう。アーティストは孤独です。本当に出会いたい観衆に逢えているのかな。作る人はものを作ることに賭けている。見る人たちにとってはひとつの選択肢にすぎないかもしれないけれど、もうちょっと見ることを真剣に考えてほしいですね。

原田　作品というのはつまり、アーティストの魂の叫びですよね。それを受け止める側の覚悟がほしい。インターネットの時代になって、情報は自由自在に手に入るし、世界も狭くなった。では、アーティストの叫びに気づくにはどうしたらいいんでしょう。

小池　チームワークですかね。アーティストひとりでは弱い。ギャラリストやキュレーターが護らなきゃいけないし、学校教育においても、見る人を育てなくては。きちんとした美術評論が書ける人も日本には少ない。

原田　小池さんは、デザインや建築や現代美術というボーダーを取り払ってこられた方だと思うんですけど、私たちは完全にそれに甘えてます。ボーダーがないことが、あたりまえになりすぎました。

小池　それと、欲望を持つ人が少ないのかな。好奇心や欲望ってとても大切なことよね。

原田　最近見つけたウィリアム・ブレイクの「欲望は創造する」という言葉があるんです。"Desire makes creation." グッときました。

小池　何かを作りたいという欲望は、本来は本能的なもののはずですけどね。

原田　ルーヴル美術館のコレクションで観たのですが、3万5000年も前に既にものすごくモダンな彫刻が存在していて、私たち人類はそれを、アートというものを、以来ずっと忘れたことはなかったんですよね。そう思うと、すごく励まされる。たとえばひとつの甕があって、雨水をためられればそれで充分なはずなのに、そこに幾何学的な文様をつけちゃう。人類はアートをやめられない。

小池　本当にいいものはすべて大きなアートの流れの中で生き延びていく、生きてゆく力があるということですね。

（2014年4月5日　東京・佐賀町アーカイブにて）

【インタビューを終えて】

誠実で、静かな闘志を秘めた人。初めて小池さんに会ったのはもう四半世紀も前のことなのに、その時に得た印象はまるで変わっていなかった。それだけ一本筋が通った人、それが小池一子なのだ。日本のアート界にこの人がいてほんとうによかった、と心底思う。アートとアーティストを支え、護り、思い切って押し出してきた彼女が、アート界に与えた恩恵は計り知れない。その足跡をたどりつつ、私もまた、彼女のようでありたいと願う。

石内都

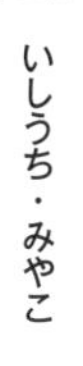

いしうち・みやこ

写真家

1947年、群馬生まれ。多摩美術大学デザイン科織コースを中退し、1977年に初個展「絶唱、横須賀ストーリー」を開催。1979年、木村伊兵衛写真賞を受賞。2005年、ヴェネチア・ビエンナーレ日本館で「Mother's」シリーズを展示。2009年、毎日芸術賞受賞。2013年、紫綬褒章受章。2014年、ハッセルブラッド国際写真賞受賞。2022年度朝日賞受賞。

原田　メキシコで、ブルー・ハウス（フリーダ・カーロの生家を改装した施設で、正式名称はフリーダ・カーロ美術館）に隣接する展示室でフリーダの遺品の展示を観た途端、石内さんすごい、って思いました。写真と展示が全然違った。石内さんがファインダーを覗くと別物になる。これぞ作品。強烈なインパクトを受けました。
石内　私は遺品の展示状況は写真でしか見てないんだけど、なんだか拷問っぽいというか……。
原田　白いタイルが背景にあって、病院みたいで、ぎょっとしましたね。
石内　ただ、同じ被写体を別の人が撮った写真も、私の写真とは全然違っていましたよ。
原田　かつて暗闇の中で照明当てて撮られたコルセットは、肉の塊みたいでしたよね。石内さんのコルセットは外で光を浴びている。
石内　写真って撮る人の気持ちがぜんぶ写るんですよ。フリーダの場合、特に男性が撮ると、「愛欲」みたいなものが強調される。私はメキシコに行って同じものを目の前にして、これまで写真で見てきたのとは全然違うぞ、フリーダを、これまでのイメージから解放してあげよう、と思った。ブルー・ハウスの中庭で自然光で撮ったから、木漏れ日も写っているでしょう？
原田　ブルー・ハウスには、彼女の寝室からパティオにつながる階段がありました。そこから外が見えたはず。身体の自由がきかなくて寝たきりになっても、ドア1枚で外とつながっていたんだと、思いました。だから石内さんが外光で撮ってあげたことによって、ベッドの中に押し込められていたフリーダは解放されたと思いますよ。
石内　撮り方は基本的に写真集『ひろしま』と同じなんだけど、フリーダ・カーロは有名人だから、私も実は最初は緊張していたの。でも3週間かけて撮っているうちに、広島で亡くなったアノニマスな人たちの遺品を撮っているのと同じような気がしてきて、あるひとりの女性が残したドレスを撮っているんだと感じるようになった。

原田　抽出された女性性を撮影した？

石内　本人はもういないけれど、残っているスカートやワンピースが私に語りかけてきた。モノって饒舌。外で撮影できたのは休館日の3日間だけで、あとは自然光が入ってくる建物の中で撮りました。カメラは手持ち、35ミリフィルム、自然光っていう、いつもの私の方法で。実は私、照明使ったことないし、ストロボも、三脚も持ってない。カメラはオートだから、露出計さえ持ってない。そもそも写真の勉強したことがないんです。

暗室にはまる

原田　写真を自分の表現手段として選んだきっかけは何だったんですか？

石内　たまたま友達の機材を預かることになって。カメラ、引き伸ばし機、バット、ピンセット。だから私は印画紙とフィルムと薬品さえ買えばいつでも写真を始められる状態だった。元々、美大でデザインを志して挫折して、それから織コースへ行ったんだけれど、それも中退して、暇だったんです。

原田　'70年代、20代ですか。フォトドキュメントみたいなものがちょっとブームになっていた頃でしょうか。

石内　まだ過渡期だったかな。東松照明（とうまつしょうめい）さんのワークショップに参加しようかと思って案内書をもらったんだけれど、目をむくほど高かった。当時で20万円。こんなに高いお金払えないって思って、ひとりで始めちゃった。それまで友達のグループ展で写真は見ていたの。それで、暗室が面白くてしょうがなくなって。

原田　どのあたりが？

石内　実は停止液って氷酢酸（ひょうさくさん）が入っているんです。糸を染めるときに色止めで使っていたのも氷酢酸。だから暗室に入ったときにすごく懐かしい匂いがしたし、写真は染物に近いと思った。白い布を染める感じで、買ってきたロール紙を自分で切ってプリントしたんです。すこしカールした印画紙が、薄暗いセーフライトの下で突っ立っている感じがすごく淫靡で。現像液って毒だから本当は触っちゃいけないんだけど、私、全部素手でやって、そのぬめっとした感じにゾクゾクしてました。エッセイに書いたことありますよ。暗室作業はセックスに近いって。

原田　今の描写はそのまま小説のワンシーンになりそう（笑）。ビジュアルで見るというより、体感したんですね。

石内　暗室作業はすごく身体的なもの。画像が浮かび上がってくるということは、観念的。世界がじわっと浮かび上がってくる快感があります。

原田　それは写真家にしかわからない一瞬ですね。私たちはできあがった作品を見るだけだから。

石内　そんなわけで、写真家になりたいというよりも、まず暗室に入りたいからという理由で写真を撮ってました。撮るものは、写っていればなんでもよかった。それよりも写真の粒子が素晴らしいと思ったんです。私のフィルム現像はめちゃくちゃで、30度で20分とか。

原田　えっと、私は素人だからわからないんですが、どこがめちゃくちゃ？

石内　標準的な現像は、20度で8分ぐらいかな。私のやり方だとフィルムは真っ黒になっちゃう。画像が濃くでるの。そして粒子がぶつぶつと立ち上がってくる。

原田　絵画で言うと、表現主義みたいな感じですか？　絵の具のタッチ自体が立ち上がる。

石内　そうそう、スーラの点描みたい。

原田　写真の表現主義ですね。その後、石内さんはどうやってご自身の主題を見つけていかれたんですか？

石内　あまりに抽象的なものばかり撮っていてもなと思って、カメラを持って東北へ行った。私の名前が「都」だから、「宮古」に行けば？と言った人がいて。

原田　駄洒落で（笑）。

石内　宮古に友達がいたという理由もあるんだけど。ところが自分とは何の関係もない町では、シャッターが押せなかったんです。駅の待合室でずーっと悩んじゃって。それではっと気がついた。私にとって一番遠い町は横須賀だって。一番嫌いで二度と行きたくない町。

原田　幼少期を過ごされた地？

石内　そう。横須賀は私の傷みたいな、憎悪、嫌悪の町。写真を撮るのに、好きなものを撮るのは普通なので、私は嫌いなものを撮ろうと思った。自分がこだわって、答えが出なくて、ぐずぐずと自分の中に澱のように溜まっていた町。そこから出発しようって考えた。

写真で仇討ち

原田　あえて自分の中で一番距離のあるところにアプローチしたというのは、意外ですね。でも、石内作品の原点としては、はっとするものがあります。

石内　敵は誰だかわからないけど、仇を討たなきゃいけないと思って始めたのが、「絶唱、横須賀ストーリー」シリーズ。横須賀の地図を買って、判子を押しながら、出会いがしらに撮っていった。その頃はまだ会社に勤めていたから、半年間、土日に撮ってた。どぶ板通りというのがあって、子どもの頃はその通りは歩いちゃいけないと言われていたんだけれど、理由はわからなかったの。子どもの頃は基地の意味もわからなかった。強姦なんて日常茶飯事。全然報道もされない。でも女の子はそういう性的なことに敏感じゃない？　横須賀の町は私に女性性を教えてくれたのね。

原田　愛憎相半ばする地なんですね。

石内　その後、どぶ板通りの100坪のキャバレーだったところを半年借りきってそこで「From YOKOSUKA」っていう写真展をやったんです。暗室では、自分の今までのこだわりみたいなものを吐き出している感じだった。失敗を繰り返しながら全紙を400枚も焼いたんですね。1ヶ月も暗室にこもって、もう頭がおかしくなってた。プリントしながら、いったい私はこれを誰に向けて発表しようとしているのかと、悩みました。でもそこで自分がこれからどう生きるか、ひとつの答えが出たかなと思いました。暗室って本当に思考する場なんです。それと、現実逃避の場でもあった。プリントという作業は時間との戦いみたいなもので、時間とのコミュニケーションを続けてきたの。1秒の重さが、よくわかる。

原田　時間の感覚ということでいうと、永遠性みたいなこととも繋がってきますか？　たとえばフリーダの遺品は今回、50年を経て、石内さんの前に現れた。

石内　彼女が亡くなって50年経って、時間が静かに積み重なっている感じ。それを撮れたらいいなって思いました。時間が見たかったの。時間をつかみたい。遺品たちは時間の塊ね。

原田　『ひろしま』にも歴史の重みをすごく感じました。ただ、戦争という重みがあるんだけれど、石内さんの写真になったときに、遺品たちは一瞬ふと軽やかに浮かび上がってきました。

女性たちとの出会い

石内　私はその後31歳で木村伊兵衛写真賞をもらって、仇討ちも終わったし、写真に撮りたいものもないなあと思って、40歳を迎えたのね。自分が40歳になったことにびっくりして、自分の手を見て、40年の時間を撮ろうと思った。それが自分と同じ年に生まれた女性たち50人を撮影した「1・9・4・7」というシリーズです。その頃、父が亡くなって、勤めも辞めて、月給がなくなったから不安で、毎日、卵とひき肉食べて生活してた（笑）。

原田　私も小説家デビューは43歳とけっこう遅くて、その前にフリーランスでキュレーターをやっていた頃は全然お金にならないから、食パンが30円引きになる時間まで待ってから買う、みたいな生活してましたよ（笑）。で、仇討ちの後は身体に興味が芽生えたんですか？

石内　そう。「1・9・4・7」の最初のモデルが（荒木経惟（のぶよし）の妻）荒木陽子だったの。彼女とは個人的にとても親しかったけれど、写真集が出るちょっと前に亡くなってしまいました。当時被写体になってもらった人は、人づてで紹介してもらった主婦が多かった。私は結婚もしなかったし、子どもも生まなかったから、主婦にすごく差別されてきたと、それまで思っていた。それが、彼女たちを撮ったとき、彼女たちの方が、私のことを新しい風として迎え入れるみたいな雰囲気になって、職業とか立場とか関係なくなっていった。

原田　ちょっとした運命の歯車の違いで、私はあなただったかもしれない、ということですよね。

石内　そうなの。それで肩の力がひゅうっと抜けた。やっぱり30代の作品は、肩に力が入りすぎていた。女が女を差別するっていう構造はずっとありますよね。差別されている人がまた差別をする。横須賀の最下層の人たちがいるスラムみたいなところにいたから、私も差別されてきたと、小さい頃に感じてた。それが、撮影を通して女同士の共通項に触れたことは、私にとってはすごくプラスになった。私は自分が女であることがずっと嫌で、男になりたいと思って大人になってたから。

原田　それはなぜですか？　何か押さえつけられたりした部分があって？

石内　生理が痛くて嫌だった（笑）。それに男の方がやっぱり優遇されている。それでも自分の女性性を抜け出ることはできなかったのね。横須賀で売春宿を撮ったわけだから、自分は売れるんだ、商品なんだって、はっきり気づいた。

原田　女性であるという抑圧みたいなものに対して、社会的に活動するんじゃなくて、写真というものを使って戦った？

石内　戦うというよりは、自覚した。多摩美にいたときは学生運動でバリケードの中にいたけれど、闘争していたつもりで、結局何もやってなかったかもしれないという後悔はあった。何もやってこなかった自分に対する課題が写真だったのかも。写真って平面で単純に見えるけれど、けっこう複雑で、いろんな要素がぎゅっと凝縮されたもの、まさに世界が凝縮されたものなんですよ。

原田　１枚の印画紙であっても、ものすごく重層的なわけですね。

傷跡と遺品

石内　女性たちの身体を撮った後は、身体の傷に興味が生まれてね。傷というのは過去の物語が形になっている。傷跡って、古い写真に近い。だから写真で写真を撮っているみたいでした。私の母にはものすごく大きな火傷の跡があって、恥ずかしがり屋な人だったからなかなか撮らせてくれなかったんだけど、撮ってもいいよと言ってくれたのが、彼女が84歳になった誕生日だった。

原田　何か心境の変化があって？

石内　死ぬ覚悟だったのね。その半年後に実際に死んじゃった。私は母とはあまりうまくいってなかったから、本人がいなくなって話をしようにもできなくて困っちゃって、それで箪笥の引き出しを開けたら下着がいっぱい出てきて。

原田　おしゃれな下着がいっぱい！

石内　それで、母の下着と対話するために撮ったのが「Mother's」というシリーズ。下着は第二の皮膚と言われるものだから、母の皮膚の断片を1個ずつ撮っていった。そのシリーズがヴェネチア・ビエンナーレの日本館に選ばれて展示されて、東京都写真美術館でその凱旋展を見た編集者が、私に広島を撮ってくれないかという話をしにきたんです。最初は、撮りつくされている場所だし、一生行かなくていいと思っていたから、お断りしようと思っていた。ところがその編集者が「広島にはアートしか残ってないと思うんですよ」って言ったの。おー、かっこいいね君！って、1週間考えさせてもらって、それで広島へ行って初めて原爆ドーム見て、わー、かわいい、って思った。だって小さいじゃない？　私がそれまでの写真で見ていたのは、下から煽って、反戦平和のシンボルみたいなイメージ。それが、なんとなく鉄骨がピンク色をしていて、「かわいい」って叫んでしまって、広島を撮る自信がついた。

原田　その感性がすごい（笑）。

石内　だって、朽ち果てて倒れてもいいのに、健気に鉄のつっかえ棒で建っていて、感心しちゃった。それで平和記念資料館で遺品を見てまたびっくり。それまでモノクロ写真しか見てなかったから、なんだ、色残ってるじゃんって。だから遺品をカラーで撮ったんです。遺品が待っていてくれた。「大丈夫だよ」って。それは、フリーダのときも同じように感じました。

原田　遺品からそういう声が聞こえてくるのは、石内さんにそれをキャッチする能力があるからですよね。私たちが普通に見たら、きっと悲しい、苦しい、恐い、という風に見えてしまうと思う。

石内　フリーダの遺品も、実際はそんなに美しくはないんですよ。硬くて汚れていて。でも私はそれを陽の下に出して、なるべくかっこいい形に整えてあげるわけ。いずまいを正して。創作なんですよ。記録ではない。広島も、フリーダも、私が出会ったひとつの距離、空気みたいなものを撮ってるんです。

原田　石内さんの写真は、モノとのダイアローグなんですね。

（2014年7月10日　東京・新潮社クラブにて）

【インタビューを終えて】

ブルー・ハウスでフリーダの遺品を見て、何より驚いたのが、石内さんの写真力。実際に見た遺品はどこかしら痛々しく、生々しかったが、石内さんの写真の中で、それはやさしく、美しく、多弁だった。石内さんのカメラによって、フリーダの魂は真実解き放たれたのではなかろうか。女性同士、アーティスト同士が響き合い、化学反応が起こって生まれた奇跡の写真の数々。私もまた、ふたりに触発されて、新しい物語を紡ぐ日を迎えることだろう。

石内都

馬渕明子

まぶち・あきこ

国立西洋美術館長

1947年、神奈川生まれ。東京大学卒業後、フランス留学、大学助手を経て1983年、国立西洋美術館学芸課研究員になる。1993年、『美のヤヌス——テオフィール・トレと19世紀美術批評』でサントリー学芸賞受賞。1994年、日本女子大学教授に就任。2013年、ジャポニスム学会会長、国立西洋美術館長（～2021年）、国立美術館理事長に就任。

原田　遅ればせながら、西美（国立西洋美術館）館長ご就任、おめでとうございます！　最近まで女子大で教鞭をとっておられましたが、生活環境はかなり変わりましたか？

馬渕　まず、大きな変化は通勤時間が短くなったこと（笑）。それから、学生を教えるのと、こういう世界で大人とつきあうというのはやはり、非常に違いますね。学生に対してはお母さんのような立場でもあって、引き上げたり励ましたり支えたり、そういう人間関係でした。今度は、館の学芸員や職員と一緒に、政府から求められている要件を満たしつつ、いろんな人の声を聞いてくみ上げるようなこともしなければならない。美術館の活動の中で一番楽しいのは展覧会を企画開催することと作品の購入収集で、ついのめり込みそうになりますが、みんなの意見や希望をちゃんと吸収してやっていかなければなりません。今までのシンプルな人間関係よりは、複雑化しています。議員会館やお役所にも行って、立法や行政の立場の方々が美術館をどうとらえているのかということも理解した上でお話ししなければならない。

魅惑の館蔵品

原田　以前勤めていらした25年前と比較して、西美自体が変わった部分はありますか？

馬渕　独立行政法人になったからだと思うんですけど、細かいチェックがいろいろあって、役職もはっきりと分かれています。かつては、展覧会図録は全員で書いたりしていたから、自分の専門分野でないことも細かく勉強したり、開催中の展覧会についてはみんな何かしらは説明できる、という感じだった。今は多くても二人の学芸員でひとつの展覧会を担当していて、他の人はその内容はあまり知らないですね。

原田 なんだか寂しいような。

馬渕 国内の美術館の数も増えて、貸し出し業務なども非常に忙しくなっているから、とても昔のようにはいきません。以前は時間帯もわりと自由で、館内に泊まり込んで生活しているような人までいましたよ。朝、洗面所で歯を磨いていたりしてね(笑)。

原田 西美の最近の展覧会の中では、作家の平野啓一郎さんをゲストキューレーターに迎えての「非日常からの呼び声」(2014年4月8日〜6月15日)が、すごく画期的と思いました。館の所蔵品から独自の視点でセレクトされた展示だったわけですけど、日本の公立の美術館の常設って、じつは本当に見るべきものが多いと思うんです。大きな企画展の陰に隠れがちだけれど。

馬渕 去年は「ル・コルビュジエと20世紀美術」展(2013年8月6日〜11月4日)をやったんですけど、元々、西洋美術館の建物がコルビュジエの設計でしょ。また彼自身、画家でもあり、彫刻も作り、建築家でもありという、幅の広い活動をした人。大成建設さんやパリのル・コルビュジエ財団さんからコレクションを借りて、それほどお金をかけずに、おもしろい展覧会を開催できました。

原田 エレガントで、規模も大きすぎず小さすぎず、すごくよかったです。

馬渕 あと、昨年末から今年にかけての「モネ、風景をみる眼」展(2013年12月7日〜2014年3月9日 ポーラ美術館/国立西洋美術館巡回展)もいい展覧会でした。ポーラ美術館とうちのモネを一緒に展示、足し算じゃなくて、掛け算になった。豊かな印象派の世界が展開できました。企画展会場に展示されたうちの《睡蓮》、色がぜんぜん違ってみえたんですよ。柔らかく、ふわっと。今まで気づかなかったタッチがはねているところがよく見えた。やはり自分のところのコレクションでも見逃しているものはあるんだと、つくづく思いました。

原田　二つの美術館だけで40点近くもモネがあったなんて、驚きでした。パリでは週末に、子供が両親と一緒に美術館に普通に行っている。お国柄の違いかなと思いますけど、日常的なことですよね。ただ、先日、東京都美術館のバルテュス展を見に行ったときに、子供用のプログラムで、マジックボードみたいなものに絵を模写するというのがあったんですけど、《夢見るテレーズ》を描いている子がいて……かなりエロティックな作品だったので、微妙だなあと思いました。

芸術で猥褻もある

馬渕　私も含めて、美術館の人は描かれているものに対して鈍くなっているところはあるかもしれません。バルテュスは名画なんだから、みんな見なさいって一言で言っちゃっていいのか。フランスでも、宿題のために子供たちだけで美術館に来た子たちは、ヌードの前でくすくす笑ったりしているんです。それは自然な反応。大人は、美術館にあるものを消毒して考えすぎ。芸術か猥褻かという二項対立はあるけれど、芸術で猥褻というものだってあると思うんです。だから、美術館に展示しているから猥褻じゃないというのはヘン。私は見られなかったんだけれど、オルセー美術館でやった「マスキュラン／マスキュラン」展（2013年9月24日〜2014年1月12日）は、男性ヌードの展示で、ある種の人たちにとってはものすごく猥褻な作品ばかりだったと思うんですよ。それをコジュヴァル館長はこれでもかというほど見せて、世間に是非を問うたわけですよね。

原田　私も見逃しましたが、図録を買ってしまいました。私の友人でゲイの男子が恋人と見に行ったら、熱気でムンムンしていて、気おされちゃってけっきょく入れなかったと言ってた（笑）。

馬渕　都内のある美術館で、政治的だという判断で作品を取り下げるという事件がありましたけど、フランスの美術館の場合は、評価そのものはもっとずっと先になるのだから、今はどうぞ議論してください、私たちも質問にはお答えしますよ、という態度。本当に立派です。

原田　国立館だと、これは出せるけれどこれは無理、なんてことも厳しく言われるんですか？

馬渕　特に決まったルールはないんですよ。でも外から苦情が来たときにどうするかということは、5館で話し合うことになると思う。特に現代アートは、メッセージ性が強いものもあるし、言葉も使うし、ある意見を述べるということにもなるわけだけど、それが差別的な発言になることもあるし、すごく政治的になる可能性もある。しかもアートとして表現されたときには、わかりやすいマニフェストやメッセージではなくなる。いろんな読み取り方の可能性を秘めているんですよね。逆にそれがないと芸術としての大きさはなくなるんじゃないかしら。

ジャポニスム研究

原田　ところで館長の美術初体験を教えていただけますか？

馬渕　中学校2年生の時に先生に引率されて、東京国立博物館のルーヴル美術館展を見たのが最初。その時に、丘の上に廃墟のようなお城が描かれたコローの初期の風景画を見て、なんてきれいな絵だろうと思ったんです。私は大学はフランス科というところへ行ったんですけど、その後特別美術に興味を持ったわけではなく、ただ学部生時代に語学留学でフランスへ半年ほど行った時に、一番印象に残ったのがオランジュリー美術館で見たモネだった。それでやはり、美術に関係することをやりたいなと考えました。

原田　いつご自身の道を決められたんですか？

馬渕　私が大学を卒業した時代は、まだ女性の就職先なんて全然なかったんです。大学も300人のうち女性は100人弱、ロールモデルもいなかったんですね。当時の文系女子の憧れの職業は編集者だったんだけど、調べてみたら採用がものすごく少なくて、こりゃだめだと。それでとりあえず、と思って大学院へ進んだ。

原田　国立西洋美術館の元館長・高階秀爾先生は、大学院時代の恩師ですか？

馬渕　高階先生は私が留学先から帰って来た時に、西洋美術館に籍を置きながら、東大でも教鞭をとっていらしたんです。教養学部の芳賀徹(はがとおる)先生が、電話かけて会いに行くといいと勧めてくださったんで、西美へ行きました。両側に本の積みあがった机の、窓口みたいなところにお顔が見えて、そこでお話を聞いたんですよ。まずは駒場の授業を受けてくださいとおっしゃって、それで大学院を受けた。

原田　今も高階先生が館長を務めていらっしゃる大原美術館の机、まったく同じ状態です。銀行の窓口みたい（笑）。

馬渕　私はその後、大学で助手もやって、それから4年間、西洋美術館に勤務したんです。当時は新聞の切り抜きから作品貸し出しの書類書きまで、全部入りたての私がやっていたので、大変でした。自分の企画で展覧会を開催するなんて、そんなに頻繁にできることではなかったけれど、私が中心になってやった思い出深い展覧会は、１９８８年のジャポニスム展ですね。

原田　まさにご専門の分野！

馬渕　いや、当時はまだ専門じゃなかったんです。でも展覧会がきっかけとなって、ジャポニスムを研究するようになりました。最初は、日本人の私がジャポニスムなんて、なんだかナショナリスティックでヘンじゃないかと思っていたんです。ところがパリでオルセー美術館準備室の学芸員さんとお話ししているうちに、日本の文化に触れて初めて西洋で可能になった表現があるんだと説得されて。彼女はエコール・デュ・ルーヴル（ルーヴル美術館附属学院）でジャポニスムについて論文を書いた2番目の人だった。そんな彼女と一緒に展覧会を作ったんですけど、フランスと日本が共同で展覧会をやるのは初めてのことでした。

原田　じゃあもう、ある意味対等。日本は極東にあって、外から入ってきた文化を加工して自分たちのものにするのには、すごく長けていたんですよね。それがいわば逆流したという例は、ほとんど唯一のような気がします。そうしたジャポニスム供出の立役者として、私はいま、林忠正（ただまさ）をテーマにした小説を書き始めているんです。日本美術の価値を西洋に伝えていた日本人の業績はもうちょっと評価されてもいいと思って。林は毀誉褒貶の激しい人だけれど、フランスで日本のプレゼンスを何とかして知らせたいと本気で思っていたんじゃないか。一人で苦労して、空回りするところもあって、余計なエネルギーも使ったから早死にしたんじゃないかと

馬渕明子

思うんです。

馬渕　私は、ドガはけっこう林のことをわかっていたんじゃないかと思う。

原田　偏屈な、あの男がですか？

馬渕　ドガは言っちゃいけないことも言っちゃうような人で、社交的じゃないし、大人げない。でも私は嫌いじゃないんです。ドガは林から鳥居清長（とりいきよなが）の版画をもらって、ずっと自分の枕元に掛けていた。お互いけっこうリスペクトしあっていたんじゃないかな。両方ともぶれないキャラ。

原田　そうやってジャポニスムをずっと研究されてきたんですね。

馬渕　そうですね。やはりモダニスムのベースにあると思います。今はフランスだけじゃなくて、各国でジャポニスム研究が進んでいるんですよ。イタリアやスペイン、東欧、ロシア。2年後には北欧でのジャポニスム展もあります。ただ調べてみると、アーティストたちはみんなパリでジャポニスムに出会っている。それと、現在、目の前にある造形表現をさかのぼると、ジャポニスムに至るというものはけっこうあります。

原田　目からウロコが落ちました。

馬渕　でも日本蔑視みたいなのがあって、日本から取り入れたんじゃない、自分たちの中だけでやってきたんだっていう人もいたんですよ。たとえば、ウィーンの人たちは、クリムトが日本美術を参考にするわけがないだろうって最近まで言ってた。

原田　え、ちょっと待ってください、って言いたい。ただ、最近はけっこう、日本はクールだねって言われますよね。

馬渕　美術だけじゃなく、国全体に関心が向いて初めて認められるようになってきた。漫画やアニメ、そして建築。もしかして日本ってすごいかも、面白いのかもと、風向きが変わってきたのは本当にここ10年。

女性の研究者と学芸員が増えてきた

原田　今回、館長になられて、日本の美術の状況はどうご覧になっていますか？

馬渕　観客層はかなり育ってますね。個人コレクターでもすごい人がいるし。学芸員の質も上がっている。

原田　一説によると、世界で一番美術館に行く国民が日本人だとか。

馬渕　昨年開催された世界中の美術展のうち、1日平均の来館者数のランキングがあって、当館のラファエロ展は7位だったんですよ。さらに100位までの中に国立美術館の展覧会は5つ入っていた。でも今後は、人気のあるものばかりじゃなく、きちんとオールドマスターもコレクションしたいし、美術史的に意義のあるものを集めていく必要も感じています。2年前にやったユベール・ロベールの展覧会でも、10万人ぐらい人が入ったんですよ。珍しいもの、知らないけれど新しいものを見たいという人はいるんですね。

原田　それが今後の西美の方針になるのでしょうか？

馬渕　やはり西美でなければできないことをやりたい。それから女性アーティストの作品は、評価も所蔵もしていきたい。

馬渕明子

原田　夢に思い描く展覧会はありますか？

馬渕　夢でもないと思うけれど、女性アーティストと男性アーティストのカップリングで見せる展覧会なんて、どうかしら。ロダンとカミーユ・クローデルとか、ドガとメアリー・カサットとか、マネとベルト・モリゾとか。

原田　マスキュラン／マスキュランじゃなくて、フェミナン／マスキュラン。最後にお聞きしたいのは、久しぶりに西洋美術館に戻ってこられて、女性のスタッフの数は増えていると思うんですけど。

馬渕　女性の研究者や学芸員はすごく増えていて、うちは本当に今、半数が女性です。そういう環境になってきたことには感慨を覚えますね。かつてはやはり男性社会で、やりにくかった。ただ、文化財機構の管理職はいまだほぼ男性。

原田　そして、今、日本サッカー協会の副会長も務めていらっしゃる。これも女性初ですよね。

馬渕　そう。会議に行くとみーんなオジサンなんです。会長に、協会で仕事をしている女性たちがおとなしいので活を入れてくださいといわれたんですけど、そういう構造にしてしまった協会の責任もありますよね。

原田　元々サッカーはお好きだったんですよね。

馬渕　Jリーグが始まってからなんですけどね。週末は5試合ぐらいぶっ続けでテレビで見たりします（笑）。

（2014年4月28日　上野・国立西洋美術館長室にて）

【インタビューを終えて】

知的で、淡々としていて、けれどアートに対する底知れない情熱を秘めた女性——というのが馬渕館長。女性研究者として初の国立美術館長、女性初の日本サッカー協会副会長。重責を担う立場ながら、それをどこまでも自然体で受け止めているのがすてきだ。ご専門のジャポニスムに関しては、よどみなく、明晰に、そして愛情込めて語ってくださった。目からウロコが何枚はがれたことか。トップに立つ女性は、かくあってほしい。

馬渕明子

エマニュエル・プラット

Emmanuel Prat

LVMH モエ ヘネシー・ルイ ヴィトン・ジャパン取締役

1948年、フランス・パリ生まれ。1950年から10年間日本で暮らす。パリ大学修士課程修了後、海運会社シャルジュール・レユニ社のタイ支社、日本支社勤務などを経て、1984年、モエ・ヘネシー グループに入社。1988〜2013年、LVMH モエ ヘネシー・ルイ ヴィトン・ジャパン代表取締役。その間、傘下のグループ会社の取締役社長を歴任。2009年に旭日中綬章、2011年にフランスのレジオン・ドヌール勲章オフィシエ受章。2020年末にLVMHジャパンの取締役を引退。日本にはのべ36年間勤務。

原田　最初に日本に来られて体験されたこと、いろいろな思い出についてお伺いしたいのですが。

プラット　私が東京で過ごしたのは１９５０～６０年、２歳から12歳までの10年間です。当時の日本は今とは全然違いました。まだ戦後の影を引きずっていて、非常に貧しい国という印象でした。私たち家族は参宮橋に住んでいましたが、今の代々木公園にはワシントンハイツという米軍の宿舎がありましたし、町では戦争で手や足を失った人をしばしば見かけました。参宮橋の駅前には金魚屋さんが金魚や亀を売りに来たり、豆腐屋さんがラッパを鳴らして、夜になるとうどん屋さんも来ていましたね。紙芝居屋さんもいました。

もちろんテレビなどない時代ですから、近所の子供たちと一緒にいたずらしたり、遊んだり。そんな環境の中で、日本語は自然に覚えました。幼稚園は市ヶ谷のカトリックのシスターがやっているところ、小学校は飯田橋の東京日仏学院（現・アンスティチュ・フランセ東京）へ通いました。日仏学院はごぞんじのように日本の学生のためのフランス語の学校ですけれど、授業が始まるのは午後３時以降なので、それまでは空いている教室を使って、フランス語圏の子供たちのための教育が行われていたのです。生徒は60～70人ぐらいで、フランス人以外に、イタリア系、スペイン系の子供たちもいました。ある時、ラオスの大使の子供が８人ぐらい入校して、生徒数が急に増えたのを覚えています。夏休みは軽井沢と葉山に行ってました。隣に住んでいる日本人の坊主頭の子供たちとちゃんばらして遊んだものです。

原田　こんな風に日本が経済的に発展して、ルイ・ヴィトンのファンがたくさんできるようになるとは、その頃には想像できなかったでしょうね。

変わる東京の風景

プラット　12歳でフランスに帰り、その次に日本に戻ったのが１９７７年の末。17年間のブランクがありました。フランスに帰ってからも家庭教師について日本語の勉強を続けましたし、父親も定期的に仕事で日本に来ていたので、日本との縁はずっと続いてはいました。新聞などのメディアを通して日本の情報には接していたつもりなのですが、やはり、実際に見るのとは全然違いました。羽田空港に着いて、東京に向かう際に初めて首都高速に乗った時、東京全体のランドスケープが一変してしまったように感じました。特に、溜池や六本木のあたりがそうです。一方、表参道については私はすっかり忘れてしまっていました。印象に残っていなかったんですね。国道２４６と表参道の交差点で石灯籠を見つけて、不意に昔の記憶がよみがえってきたことがあります。私が子供の頃、表参道には何もなかった。並木は植わっていましたが、今よりずっと小さく、あとは2階建の家屋が続いているだけでした。

原田　それが今のようなファッションの街に生まれ変わったんですね。

プラット　ただ、かつて住んでいた参宮橋とか、あるいは代々木上原とか、あまり変わっていないところもある。もちろん日本では30〜40年経つと建物を建て直すけれど、そういう場所では全体の雰囲気は同じなんです。東京はオフィス街じゃないところは、総じて町並みが静かです。ダイナミックに町並みを変えながら、伝統的なところも残す東京、おもしろいと思いますよ。

原田　それを聞いて安心しました、完全に変わってしまったのかと。パリは19世紀の半ばのオスマンによる都市計画が優れていたから、１５０年間、基本的には同じ街並みが守られていますよね。それに対して東京はなし崩し的に都市開発をしてきて、グランドプランがない。だから見栄えがしない、それほど美しい街とは思えなかったんです。でも、プラットさんからご覧になると懐かしいところも残っているし、東京ならではのよさもあるということですね。

プラット　住みやすいところだと思います。なにより安全で清潔だし、大きな公園をはじめ緑も多い。

原田　大名屋敷がたくさんあった名残りでしょうか。東京と比較して、パリの暮らしはいかがですか？

日本とフランスの相違

プラット　私は散歩するのが好きですが、古い建物にプレートが付いていて、ここにヴィクトル・ユーゴーが住んでいた、なんて書いてあると、嬉しくなります。非常に歴史のリッチな街だと思います。残念ながら、最近は治安がよくない場所もありますけどね。

原田　あの街を歩いていると、歴史的な、あるいは文化財的な遺産を、住民だけではなく、観光客も含めてみんなで共有しようという空気を感じます。通りや地下鉄の駅にも歴史上の人物の名前を付けたり。みんなで記憶をシェアしようというのが、すばらしいところですよね。

プラット　マレ地区のちょっと北の方には、第二次世界大戦の時にドイツの警察がユダヤ人の子供を３５０人連れていったという歴史的事実の書かれたプレートもあります。

原田　そういう負の歴史も忘れまい、ということですね。ところでフランスと日本が国交を結んで１５０年あまり、両国の長い文化交流についてはどのようにご覧になっていますか？

プラット　１５０年前のフランスと日本の文化はまったく別のものだったはずなのに、それでも共通する価値観があったと思います。例えば職人や手仕事に対する敬意。そしてフランス人も日本人も非常に情緒的ですよね。美しいものに反応したり、理解しようとする感性がある。フランスのシャンソンと日本の演歌はエモーショナルな点ではよく似ています。そういえば先日、フランスの新聞でイヴェット・ジローというシャンソン歌手が97歳で亡くなったという記事を読みました。今やフランスでもほとんど誰も知らない人ですが、彼女は１９５０年代の日本ではすごく有名だったんですよ。

原田　プラットさん、演歌もお聞きになるんですか？

プラット　聞きますよ。千昌夫が好きです。

原田　湿度の高い日本の演歌と、カラッとしたヨーロッパのシャンソン、でもどこかジメッとしているところはたしかに共通していますね。ところで１８６７年に日本が初めてパリ万博に参加した時はまず、フランスの方々が日本の工芸品に感動しています。大きなショックを受けつつもそれを「自分たちの中に取りこめばなにか新しいものを作れるんじゃないか」と受け入れたことが、印象派の誕生にもつながりました。そのあたり、フランスの方々は受容力があるというか、頭が柔らかいんでしょうか？

プラット　けっこうオープンだと思います。

原田　日本は明治に開国して以降、ずっと西洋の血を取り入れることに一所懸命でした。ラファエル・コランに日本の画家たちが師事して、西洋風の手法を輸入した。戦後もずっと西洋に憧れてきた。でもこれからは、日本がかつて西洋に大きな影響を与えたということを知って、若い日本のクリエイターたちがもっと自信を持ってくれないかなと思います。

プラット　そこには社会の問題もあるでしょうね。日本の社会には、新しいもの、普通のパターンから外れることを受け入れるキャパシティが少ないんじゃないですか。私の知っているフランス在住の日本の絵描きさんたちからよく聞くのは、日本の社会は普通のサラリーマンと違う生活をしていると受け入れてもらいにくい、ということ。

日本はアピール下手

原田　ところで、ルイ・ヴィトンは様々なアーティストとコラボレーションされてきましたよね。他の高級ブランドでそこまでやっているブランドはないのではないでしょうか。

プラット　LVMHグループは伝統的なポジションにあぐらをかいているのではなく、ブランドをより若くしてゆく必要性を感じているし、またそのことを楽しんでいる。草間彌生さんや様々なアーティストとコラボレーションしてきました。建築では、まだ若かった妹島和世（せじまかずよ）さんに表参道のビルの設計を頼んだり、青木淳さんや隈研吾さんとも仕事しています。日本には大きいマーケットを持ってますから、日本の建築家の方々と一緒にお仕事できて、よかったと思っています。

原田　村上隆さんとのコラボレーションには本当に驚きました。こういうことを世界のトップブランドができるんだというのがやはり、すごい。19世紀にフランスが浮世絵を受け入れたような衝撃が、また帰ってきた、という感じ。

プラット　今の時代は、高級ブランドがメセナ活動の形で社会に対する責任を果たさなければなりません。エルメスでもシャネルでも、文化的な貢献はラグジュアリー・ブランドとしてのミッションです。ヴィトンはブローニュの森に現代美術館も建てたし、毎年パリで開催される様々な展覧会のスポンサーもしています。オーナーのアルノーが現代美術館の設計をフランク・ゲーリーさんに頼んだのは、パリに今までなかった建物を作りたかったからだと思うんですよ。そういう形でパリに貢献したかったんじゃないかな。

原田　フランスは、本当にアクティヴですよね、ランスにルーヴル美術館の分館、メッスにポンピドゥー・センターの分館を作ったり。次々に新しい美術館ができるし、展覧会の企画も毎年おもしろい。それをラグジュアリー・ブランドが後押ししておられる構造は強いですね。日本は1000以上も美術館のある美術館大国だと言われるのに、なかなかソフトが充実しない。

プラット　先日、パリのボン・マルシェでジャパンフェアをやって、非常に盛況でしたよ。東急ハンズやビームスも出ていて、より普通の日本のイメージが提示されていて、よかったです。直島のプレゼンもありましたが、もうちょっと直島で見られるアートを紹介してもよかったかもしれません。私も直島には行きましたけれど、美術の好きな人にとっては特別な場所です。

原田　私もあのフェア以来、フランス人の知り合いから、直島に行ったことある？って聞かれるようになりました。

プラット　私がよく思うのは日本は国として日本の良さを海外にプロモーションするのが下手。いいものがたくさんあるのだから、もっとやるべきです。職人の手仕事を、ただ伝統をアピールするだけでなく、現代的に見せればいいと思います。これまで日本は車や電機、ホンダ、ソニー、そうしたテクニカルなイメージが強かった。これからはもっとソフトのイメージを上げてゆくといい。

原田　私も日本はもっと世界に出られるはずだと思います。

プラット　ＬＶＭＨグループは、東日本大震災の後に東北地方のサポートもしました。岩手の山田町のコミュニティセンターを建て直し、気仙沼の牡蠣の生産者の再生のお手伝いもした。最近は坂茂（ばんしげる）さんと、相馬市の子供のためのアート・メゾンを作りました。

原田　坂さんは被災地での長年のお仕事が評価されて、プリツカー賞をお取りになりましたよね。

プラット　その間、東北地方に何回も行きましたが、盛岡とか、綺麗ですよ。海岸も本当に綺麗。古い、良い日本ですよ。

原田　昔と今の日本をご存じのプラットさんには、もしかすると、私たちよりも日本のことが見えているかもしれません。日本の地方都市の良さをそこまでわかってくださって、すごく嬉しいです。

（２０１４年９月22日　東京・ＬＶＭＨモエ ヘネシー・ルイ ヴィトン・ジャパン本社にて）

【インタビューを終えて】

プラットさんとは、昨年5月、パリのLVMH本社を訪問したのが初対面。知的な表情、やわらかな物腰、ルイ・ヴィトンのネクタイをきりりと締めたその風貌は、絵に描いたようなすてきなパリジャン。「ムッシュウ・プラット」と思わず呼びかけたくなったが、流暢な日本語と、日仏文化の交流に心を砕くところは、古きよき日本人紳士そのもの。プラットさんには及ばなくとも、私もいつの日か、日仏文化の小さな架け橋となりたい。

ピエール・チェン

Pierre Chen

ヤゲオ財団会長

1956年、台湾・台南生まれ。大学時代からアート作品の蒐集を始める。1980年、兄が1977年に創業した電子部品メーカー（ヤゲオ・コーポレーションの前身）で働き始める。1999年、非営利組織ヤゲオ財団を設立。2008年に初のヤゲオ財団コレクション展をドイツのドレスデンで、2014年にアジアで初となる日本で開催。

原田　初めまして。今回は自分の小説の取材も兼ねて、チェンさんにお話を伺いたいと思ったのですが、まずは今、日本で開催されている「現代美術のハードコアはじつは世界の宝である展　ヤゲオ財団コレクションより」のことから。

チェン　これまでも世界中から展覧会のオファーはありました。6年ほど前にドレスデンの国立美術館で開催したのが、ヤゲオ財団コレクションのデビュー展になります。日本での展覧会開催に際して心配だったのは、日本は'90年代初頭にバブルが崩壊した後、経済が沈滞して元気がなくなり、たくさんのギャラリーが閉廊に追い込まれましたよね。あるいは香港やシンガポールなど、海外へ出てしまった。そうした情報を得ていたので、現代の日本人は現代美術にはあまり興味を持てない状況じゃないかと想像していたんです。アーティストたちもアートでは生活できないから、別の仕事に就かざるをえなくなったと聞いていました。

アートとの暮らし方を啓蒙

チェン　でもここで一度、美術館の役割という側面に立ち返って考えてみることにしたんです。一つは教育・啓蒙。そしてもう一つ重要なのは、デモンストレーションです。たとえば美術館はピカソやベーコンといった個人の作家の展覧会をやり、アーティストの背景や作品が生まれるに至ったエピソードなどを解説します。来館者はそうした情報を得た上で作品を見て、美しいと思う。ただ、それだけだとアートは来館者にとって「触れられないもの」、アクセスできないものにとどまってしまいます。たしかに美しい、けれど自分の人生には関係ない。そこにはどうしても距離ができてしまうわけです。そこで私は美術館と話し合いを重ねて、ただ展覧会を開くだけでなく、「蒐集とはどのようになされるものなのか」ということを伝えようと思いました。アートとどう暮らすか、ということを伝えたかった。来館者も「自分にも蒐集できるかもしれない」と考え、自分の部屋に、目の前の作品が飾ってある情景を想像できるような展覧会をやりたかったんです。書斎がいいか、いや居間かな、自分ならばきっとこのコレクターよりも上手に飾ることができるはずだ。そんな風に考え始めた途端、それまでの美術鑑賞とはまったく違う世界が開けるはずです。

原田　アートとのインタラクティヴな関係が築けるということですよね。

チェン　そうですね。また、一つの会場にたくさんの現代美術が並んでいるので、比較ができます。「印象派」などと違って「現代美術」のレンジはあまりに広い。ヤゲオ財団のコレクション展を見てもらえば、自分はどんな現代美術作品が好きなのか、ということが見えてくると思うんです。一つの展覧会で、クオリティの高い40人の現代美術作家の作品を見る、というのは、稀な体験だから。アジアのものも欧米のものもあって、自分の好きな作品のスタイルを知ることができる。自分の家にはどの作品が似合うだろうということも、具体的に考えながら、アートと近づくことができます。

ヤゲオ財団のコレクション展の最初の会場となった東京国立近代美術館では、こうした体験をより深めるためのゲーム「コレクター・チャレンジ」も用意されていた。会場の最後に出品作から選ばれた作品20点と家の模型が置かれており、これらを使って上限5点、50億円内の予算で、自分が暮らしたいアートのある空間を構成することができる、という仕掛けだった。

アーティストの知名度は関係ない

チェン　今回の展覧会では、面白い数字が出ました。東京国立近代美術館の展覧会の来館者はふだん82パーセントが女性だそうです。ところが財団のコレクション展に関しては、76パーセントが男性で、しかも若い人たちが多かったということです。日本の若い人たちが来てくれたということは彼らがアートに希望を持っているという意味で、とても嬉しい。

原田　それは日本で今、何かが変わりつつある兆候だと思います。現代美術の世界で、何かが起きようとしている。チェンさんがおっしゃるように、日本の現代美術の現場は今はまだ非常に弱いです。バブル期に印象派を買いに走ったコレクターたちは、国際市場からは消え失せてしまった。でも今は新しいコレクターたちが現代美術を集め始めている。過去20年、起きなかったことです。徐々に若いコレクターが育って、ヤゲオ財団のコレクション展にも刺激を受けて、さらに蒐集を重ねてゆくでしょう。日本の現代美術市場はもっと活発になると期待したい。ヤゲオ財団展が日本で開催されたのは、まったくパーフェクトなタイミングでした。チェンさんはこれまで、現代美術の中でもクラシカルな作品、ウォーホルやベーコンを集めてこられた一方で、これから出てくる若手作家、エマージング・アーティストの作品をも蒐集してこられました。今後はどんなアーティストのものを、あるいはどんなジャンルのものを集めていくご予定ですか？

チェン　私はジャンルとか、アーティストの国籍といったことには無頓着なんです。私にとって大切なことは、私がその作品を好きになれるか、いや、愛せるか、ということです。作品購入は、こんな具合です。まずはギャラリーやオークションのカタログをめくって、おもしろいと思ったものにマークを付けます。それを机の上に1週間ほったらかしにします。その上であらためて該当ページをめくり、その作品が未だ自分に刺激を与えてくれるか、興奮させてくれるかを見極めるのです。それからようやくその作品についての調査を始めます。作品を購入するときのこの姿勢は25年前から同じです。今でこそアーティストの名前はかなり覚えましたが、最初はよく知らなかった。でもそんなことは問題ではありません。アーティストが有名か否かは、私にとっては関係がないから。

台南の中流階級の家に生まれたチェン氏が初めてアートに触れたのは、兄に伴われて台北のギャラリーを訪れた大学時代。そのギャラリーで初めて作品を購入した。香港のアーティストによる木彫で、支払いには1年半分のアルバイト料を充てたという。兄が起業した電子部品メーカーで働き始め、仕事が軌道に乗り始めた25年ほど前から本格的に蒐集を始め、まず台湾の現代美術作家の作品を購入。その後、サンユウやザオ・ウーキーら海外で活躍する中国人アーティスト、さらに欧米のアーティストによる作品へとコレクションの幅を広げていった。

変化する自らの好みには抗わない

原田　美術館でもアーティストの名前やタイトルは見ないのですか？

チェン　とにかくまずは作品を見ます。アーティストのことも含めて、作品について学ぶのは、それからです。オークションに参加すると決めたら、いくらまでなら支払えるかを考える。でも一番大切なのは、その作品と一緒に暮らせるかどうか、です。ベッドルーム、書斎、リビング、どこに飾ろうかと考えます。一緒に暮らすためのサイズや色やイメージが大切なのであって、アーティストが誰なのかは二の次です。

原田　チェンさんはアート作品、いったいおいくつぐらい持っていらっしゃるんですか？

チェン　だいたい400点ぐらいでしょうか。そのうちの20～25パーセント、約100点を自宅やゲストハウス、オフィスに飾り、残りの75パーセントを展覧会出品作として貸し出しています。

原田　所蔵品を売って新しいものを購入することはあるんですか？

チェン　それほど頻繁にはありませんが、そういうこともあります。最初にアートを買い始めたのは大学生時代で、もう40年近く前のことです。その後、好みが変わることはあるんです。食べ物の好みが変わるのと同じで、けっして作品のよしあしという意味ではありません。だから、今の自分の好みには合わないと思うものは売って、新たにより自分好みのものを手に入れようと考えるんです。売る際のもう一つの理由は、その作品と暮らせない場合です。空間的、物理的な理由ですが、飾れなくて倉庫に入れるということは、その作品が存在しないのと同じこと。そうなったら、売ります。じつは2014年の5月に、ベーコンの三連画をオークションに出しました。高さが2メートルもある大きな作品だったので、とても家の中に飾れなかった。美しい作品だと思って購入したものだったし、10年間も持っていたのですが、これを売って、別のベーコンを買おうと思いました。ベーコンは三連画を23作品しか描いていませんから、おそらくもう二度と手に入らないでしょう。

原田　２０１３年に日本でベーコン展が開催された時に出品されたものですか？

チェン　日本に貸し出したのは、その他の2点ですね。そうそう、今回、日本の展覧会にはマーク・クインやロン・ミュエクなどを出品していますが、私は立体作品もけっこう持っているんですよ。ルイーズ・ブルジョワ、ヘンリー・ムーア、アリスティド・マイヨールも。

原田　チェンさんは現代美術だけじゃなく、マイヨールのような近代美術も集めていらっしゃるんですよね。

チェン　現代美術か近代美術かはあまり気にしません。マイヨールの彫刻は私にとってじゅうぶんにモダンで、たとえばスイミングプールの縁に飾ると美しいと思いますよ。

原田　台湾の現代美術シーンはどのようにご覧になっていらっしゃいますか？

チェン　どんどんよくなってきていると思います。若手がパワフルなエネルギーを持って新しいことに挑戦している。私は現代美術は、その国の社会を写し出すものだと思うんです。今の台湾の若い人たちには、ボーダレスな自由さがあります。国際的な感情論にはとらわれていない。

原田　政治的なことには左右されていない、ということですね。

チェン　そうです。たとえばウォーホル作品は、アメリカだけではなく、世界中を旅していますよね。それぞれの国との国交などは無関係です。自由で何ものにもとらわれない、新しいものを作ろうとする。これはアートにとってとても大切なことです。

原田　まったく同感です。私はそういうことを小説に書きたいと思っています。

チェン　でも、そうじゃない人もいるんですよね。私の場合はアートが好きだから、一緒に暮らしたいから買っている。コレクターとして有名になりたいわけではないので、展覧会へは財団の名前で貸し出しています。でも香港や中国には、メディアに自分の名前をアピールしたがる人もいる。中国の映画会社の経営者で王さんという人は、今年、６２００万ドルでゴッホを買った後すぐに、自分が買ったというプレスリリースをマスコミに出しました。そういうメンタリティは私とは違います。それでも、こうした行為はアート・マーケットにとってはいいことかもしれません。アートが話題になるし、いい絵を買えば有名になれるということを表したわけだから。

原田　バブルの時代は日本のコレクターたちも同じようなことをやりました。

チェン　企業もずいぶん買っていましたよね。でも、会社の場合はまた違うと思うんですよ。会社のパブリシティのために作品を購入する、そこには理由があります。見せびらかすつもりはないのでしょう。

原田　現代の日本のアート・シーンはどのように見ておられますか？

チェン　それほど情報があるわけではありませんが、よくなってきていると思います。村上隆、奈良美智、草間彌生……だけでなく、最近は「具体」も国際的に再評価され、白髪一雄（しらがかずお）なども注目されつつあります。

アートを飾る空間も大切

原田　チェンさんが世界で一番好きな美術館はどこですか？

チェン　テート・モダンかな。まず、空間がいい。企画展も常設展も好きです。私はあの美術館の国際諮問委員の一人でもあるんです。

原田　他にも世界の美術館はよく見て歩かれるんですか？

チェン　テート・ブリテン、ロンドンのナショナル・ポートレイト・ギャラリーも好きですよ。パリもよく行きます。ポンピドゥー・センターや、ピカソ美術館。

原田　10月に開館したフォンダシオン ルイ・ヴィトンには行かれました？

チェン　ええ。でもコレクションよりもむしろ、建築に力の入った美術館という印象でしたね。リヒターの作品だけを並べた展示室は特によかった。でもリヒターだけで言うと、うちの財団の方がいい作品を持っていますよ（笑）。他に、オルセー美術館も、カルティエ財団現代美術館も、いいですね。

原田　日本の美術館に関しては？

チェン　東京国立近代美術館は、キュレーター・チームのレベルが高い。スタイルは全然違いますが、ショップや飲食店と複合している森美術館もいいですね。美術館は建築を見ることが楽しみでもあり、信楽のMIHO MUSEUMも綺麗だと思います。直島の美術館群も素晴らしい。金沢21世紀美術館も好きです。

原田　ふだんお仕事でものすごくお忙しいと思いますが、どうやってそのように美術館を回る時間を作られるんですか？

チェン　私は旅が好きなんです。小さな町が好きで、伊豆、箱根、葉山にも行ってます。そういえば、伊東の池田20世紀美術館は、蔵品が素晴らしかった。ベーコンもウォーホルもある。ところが人が全然いなくて、ひとりのスタッフがチケットも切るし、監視員もやるし、ショップの店員もやっていて、驚きました。

原田　それでは最後の質問。チェンさんがもし泥棒だったら、どの美術館のどの作品を盗むでしょう？

チェン　（しばし沈思黙考）うーん。それは私の人生では起きません。ほしいものがあれば、アート・マーケットで、正規の手続きを経て買います。

原田　（大笑い）チェンさんはまったく、真面目な方ですね。

チェン　いや、本当のことですよ。以前、テート・モダンで、トゥオンブリーの'80年代のローマ時代の作品を見たことがあって、たいへん美しかった。以来4年間、同じようなスタイルの作品がほしいとずっと思ってきたんです。いつの日か、ギャラリーかディーラーから買う機会が巡ってきたら、絶対に購入します。

原田　チェンさんのアートに対する情熱は、本物ですね。

チェン　それと、アートを飾るのと同じような情熱で、それらを飾る空間についても考えます。このゲストハウスは手に入れて17年経っていますが、フランスのクリスチャン・リアーグルに内装をお願いしました。2年前に内装をまた新たにして、より作品を飾りやすくしたんですよ。アートは常に空間の中に存在しますから、どんな家に住むかはとても大切です。アートは建築の一部かもしれませんね。私はリアーグル氏とはもう20年以上のつきあいがあって、彼にはこのゲストハウスも含めて、これまで8つのプロジェクトをお願いしてきました。私の好みを熟知しているから、話が早いんです。

原田　日本の建築家でお好きな方は？

チェン　安藤忠雄さんや妹島和世さんの建物は、好きです。友人でもある。ただ私は自分の家が美術館のようになるのは、嫌なんです。家はやはり家らしくあってほしいと思います。

（2014年12月11日　台北郊外、ピエール・チェン氏のゲストハウスにて）

【インタビューを終えて】

インタビュー中に「ロックが外れた」と感じる瞬間がある。チェンさんの場合は、5分とかからなかった。アートのことを話し出したら止まらない。アートのことをもっと聞いてほしい。チェンさんの思いはまっすぐで、アートに注ぐ情熱にはただならぬものがあった。アートを守り、伝えていきたい。そんな意識の高さと責任感はコレクターならでは。これからも好奇心を忘れずに、より斬新な作品発掘に努めるというチェンさん。頼もしい！

ピエール・チェン

大原謙一郎

おおはら・けんいちろう

大原美術館理事長

1940年、兵庫生まれ。父親は、大原美術館を創立した実業家・大原孫三郎の長男・總一郎。1963年、東京大学卒業後、米イエール大学大学院へ。1968年、倉敷レイヨン（現・クラレ）に入社。同副社長、中国銀行副頭取を歴任。1992〜96年、岡山経済同友会代表幹事、2001〜10年、倉敷商工会議所会頭を務める。2010年、岡山県三木記念賞、2014年、日本放送協会放送文化賞等を受賞。2017年より大原美術館名誉館長。

原田　初めて理事長にお目にかかったのは5年前。小説『楽園のカンヴァス』の最初の舞台となる大原美術館を、実名で書かせてもらいたいというお願いにあがりました。私にとっては、小学校4年生でこの美術館を訪れた経験が、自分の人生を決定しました。まずは理事長の幼少期のことをお聞きしたいです。

大原　祖父（実業家・大原孫三郎）が開館した大原美術館には子供の頃しょっちゅう来ていましたけど、なにせ目線が地上60センチぐらいでしたから、ゴーギャンの描く女性像《かぐわしき大地（テ・ナーヴェ・ナーヴェ・フェヌア）》なんかは、すごく気持ち悪かった。好きだったのはシャヴァンヌの《漁夫》という作品で、男の人の足元を流れる水の冷たさがとても気持ちよく感じられました。小学校からは京都に住んでいたので、美術館を訪れる機会はやはり多かったです。昭和20年代って、フランス絵画の美術展なんかも既に来ていたんです。

原田　戦後の復興も含めた文化政策があったんですね。その一環として、神奈川県立近代美術館は日本で初めての公立の近代美術館として１９５１年に開館。ところが大原美術館はさらにさかのぼり、戦前の１９３０年に開館しています。ニューヨーク近代美術館開館の1年後ってすごいですよね。

世界に窓を開く

大原　あの頃、本当に世界と触れ合いたい若者たちのためにここに窓を開きたい、というのが孫三郎の願いであり、その片腕となってヨーロッパへ行き、美術品を蒐集したのが画家・児島虎次郎(とらじろう)です。それがこの美術館の原点。昭和の初め、日本が露骨な資本主義社会になってきた時期です。繁栄と不安が入り混じりながら、日本は世界に向かい合っていかなければならなかった。

原田　この美術館が東京ではなく倉敷に開館したことは奇跡的です。

大原　倉敷人は、地方だからこの程度でいいやなんてことはまず思わない。住人だけじゃなく、この町を訪れる人も感じていると思いますが、ここはフィレンツェやハイデルベルクと同じように、世界と触れ合える地方都市なんです。孫三郎にとって、ここに美術館を開館するのはあたりまえのことだった。面白いのは、孫三郎は神戸にも家があったのですが、その隣に阿部房次郎さん、向かいに住友吉左衛門さん、住吉川を上流に行くと野村元五郎さん、下流へ行くと安宅弥吉(あたかやきち)さん、ちょっと御影の方に行ったら野村徳七さんや村山龍平(りょうへい)（香雪(こうせつ)）さん。住吉村と呼ばれていた小さな町内に当時の名だたる事業家が集っていた。そしてそれぞれの美術館を持ったんです。自分の才覚と度胸だけを頼りに事業に命を懸けた人ばかりです。今の事業家は、企画部と調査部があって、専務と常務がいてとか、みんなで話し合ってものごとを決めていくでしょう。あの頃はひとりの事業家が世界をギッと見つめて、これだ！ってやったりやめたり。そういう人たちが、茶道具や青銅器など分野は違えど、みんな美術に没入して、極めようとしていました。

原田　最近コレクターの方を取材する機会があったのですが、コレクターさんって基本的にわがままで、我が道をゆきますよね。人の意見なんてあまり聞かない。まっしぐら。だから非常に個性的なコレクションが形成される。一方、公立の美術館で議会の承認を得たものって、意外と普通というか、個性がないですよね。

大原　80点クラスをずらりとそろえるようなコレクターは、ビジネスパーソンとしてもたいしたことはないんですよね。

原田　0か100か！

大原　孫三郎がそうでした。80点には見向きもせずに100点を目指す。戦国武将が茶道具に打ち込んだのと似た感覚が、住吉村の住人たちにはあったのではないか。

原田　孫三郎さんは「わしの目は10年先が見える」とおっしゃったんですよね。でも実は50年、いや100年先も見えていた。

大原　本人は、大原美術館は一番のお荷物になるかもしれないと言っていたけれど、荷物になってもやるんだ、という覚悟を持っていました。

原田　不況になると企業やデパートが作った美術館はまっさきにお荷物扱いで閉館に追い込まれますけど、個人の意思で始められたものはまた違いますね。グローバルな視野を持ち、美術館の社会的な役割を定義した。今も大原美術館は昔の作品だけを古色蒼然と陳列しているわけではなく、現代アートを積極的に蒐集されたり、アーティスト・イン・レジデンスのプログラムを行っていらっしゃる。

大原　そう。非常に働き者の美術館なんです。最初は世界に向かって窓を開き、戦後は、マティスやピカソを持ってきて展示したことで、「日本は無謀な戦争をしかけて自滅した野蛮な黄色い人たちの国」なんかではないということを、世界の人に示すことができた。(私の父の)總一郎は、安井曾太郎さん、梅原龍三郎さんら、日本人画家の絵も蒐集したし、ポロックやキリコ、フォンタナも買いました。日本人の優れた作品を世界に見せると同時に、日本人が世界の最先端のものに一所懸命正面から挑んでいる。そういう動きが倉敷にあることを世界に見せた。民芸もありますからね。

原田　私は小学生の時、大原美術館でピカソを見てショックを受けるとともに、棟方志功板画館（現・工芸・東洋館の棟方志功展示室）も見て、棟方志功も大好きになっちゃったんです。当時、渥美清さんが棟方志功の役を演じる『おかしな夫婦』っていうテレビ番組があって。

大原　志功がすごいのは、この美術館に来た時にメモを残していて、シャヴァンヌはすばらしいけれど、ゴッホは弱いと書いてあった。後で、その作品がゴッホの贋作だったことがわかったんです。

大原美術館の使命

大原　じつはうちの職員はみんな、「使命宣言」を常に携えているんです。第一が「アートとアーティストに対する使命」。アートを護り、アーティストのクリエーションをサポートする。第二が「あらゆる『鑑賞者』に対する使命」。これは聞いた話なのですが、盲目のピアニスト辻井伸行さんは、お母さんに連れられて小さい頃からしょっちゅう美術館に行っているんだってね。それである人が辻井少年に「ここに赤いリンゴがあるんだけれど、赤い色ってわかる?」って訊いたら、わかるという返事が返ってきたって。あらゆる鑑賞者というのは、そういう人も含めて、ということです。そしてあくまでも美術品を見せてあげる、ではなく、鑑賞者が美術品と触れ合う場を作ることが、私たちの使命です。第三に「子どもたちに対する使命」。第四が「地域に対する使命」。最後に「日本と世界に対する使命」。これ2010年の創立80周年の時に、高階秀爾館長と職員みんなで議論して作りました。美術館が生まれ変わるにはやはり、大原孫三郎と児島虎次郎の原点に戻ろうと、勉強しなおしたんです。

原田　最初に伺った時から思っていたのですが、大原美術館では職員のみなさんが非常に和気藹々としていらっしゃって、理事長や館長も本来は偉い方々なのに、まるでお父さんみたいな感じ。私は監視員の方にインタビューがしたくて、その他にも理事長、館長、学芸員さん、広報の方のお話を聞いたんですが、それぞれ立場は違うけれど、お互いが尊重しあって、職務に対してプライドを持っていらっしゃることに感動しました。どんな職業であれ、自分のやっていることにプライドを持っている方こそ、プロフェッショナルだと思います。

大原　そう言ってくださるのは嬉しいけれど、まだ80点もいきません。世界の方からポライト（礼儀正しい）であるとおっしゃっていただくだけじゃなく、アンダースタンディング、つまり、心が通い合って理解してもらえている、と言っていただけるところまでいきたい。

質のいい日本と世界の出会いの場

大原　うちは文化の剥製でも塩漬けでもない。暮らしの中にある美しいものを見つけようとしています。それは民芸の精神でもあります。西洋の美術はある枠の中にひとつの宇宙、ミクロコスモスを作るようなところがあると思うんだけれど、それがうまく生活や自然とつながっているのが、日本の美術。倉敷には質のよい日本と世界が出会う場であってほしい。

当館にはエル・グレコの《受胎告知》がありますが、以前、トレドからお見えになったグレコの専門家の方が、この作品は倉敷の町に非常に合っていますねと言ってくださいました。キリスト教絵画って時には陰惨すぎてちょっと勘弁してほしい、という感じのものもありますが、あの絵は私たち日本人にもしっくりくる。縁あってここに来てくれたんだと思います。それからモネの《睡蓮》は虎次郎がモネから直接買っているんですが、虎次郎があれを選んだことをモネはとても喜んでいたらしい。日本の美術って、季節ごとに掛け軸を変えたり、日の光やもみじの色など、周囲の環境とうまく照りあってくれるものなんですけど、モネのこの作品は西洋美術の中で日本美術のそうしたあり方にもっとも近いと思う。有隣荘(ゆうりんそう)（1928年に建てられた大原家別邸。現在は年2回の特別展示期間に一般公開されている）の床の間に掛けたことがあったんだけれど、障子に当たる朝日や夕日と非常にきれいに反応してくれた。ここは日本と世界の出会いの場だなぁとしみじみ思ったし、これからもそうであってほしい。

原田　この美術館って不思議な居心地のよさがあります。眠くなっちゃうほど。

大原　本当に寝ちゃった人、いるんですよ。堀辰雄(ほりたつお)が書いているんだけれど、エル・グレコの前にあった革張りのソファの上で寝てしまったらしい。起きたらまだそこにエル・グレコがあったって。

原田　（笑）眠くなるぐらい心地いい、というのは喩えなんですけど、それはなぜだろうと考えてみて、最近気づいたんです。ここにはすごく美しい整合性がある。バランスがいい、つじつまがあっている。たとえまったくアンビヴァレントなAとBがあっても、その場にいあわせ

大原謙一郎

ている理由がある、と。

大原　それは倉敷の町全体についても言えるかもしれない。以前、アーティストの鴻池朋子(こうのいけともこ)さんが有隣荘の松の木の上に人間の半身のようなものをいくつか置いたんだけれど、町の人がすごく喜んでました。警備員さんもおもしろいなーって楽しんでいた。

原田　そういうことをやっても逸脱しないで、マッチする。受容する。それは倉敷が大原を中心として培ってきた文化だと思います。

さまざまなインターフェース

大原　以前、スタンフォード大学大学院を出たばかりの日系のお嬢さんが倉敷にいらした時に、大原美術館を訪れて、日本の風土の中に息づく世界の作品を見て、自分は日本人としてアメリカでキャリアを積んでゆく決心がついた、と言ってくださったことがありました。また、阪神・淡路大震災で被災された方で、毎月のように児島虎次郎の絵を見に来てくださる年配の女性もいて、年の近いうちの職員とも交流ができたようで、様々なかたちのインターフェースがあると思います。

原田　私も東日本大震災の後は、こんな時に小説なんてなんの役に立つんだろうと思ったこともありましたけど、実は心が折れてしまいそうな時こそ、文化は必要なんですよね。それは時間が経過するとわかってきます。すさんだ心に効く何よりのビタミン。

大原　それと、アートにはお互いの働きかけがあると思うんです。好き嫌いは、その日の体調や季節や気分で変わりますよね。うちに来る小学生の作文に、「この前来た時はモネさんが好きだったけれど、今回は（ブリジット・）ライリーさんの絵が好きになりました」って書いてあった。そういう子が育ってくれるといいよね。

原田　その子はきっと、次はポロックさんが好きになりますよ（笑）。

温故知新、そして変革

原田　これからも若手アーティストをサポートしていかれるんですよね。

大原　２０１３年に「オオハラコンテンポラリー」というグループ展をやったときは、50人の現代アーティストがあつまってくれました。集合写真も撮ったけれど、これは絶対に歴史的なものになると思っています。その若い子たちが、古いものもたくさんあるこの美術館でレジデンスやってくれるのはやはり意味があると思うんです。最初にレジデンスしてくださった津上みゆきさんというアーティストは、虎次郎の墓参りにまで行かれたんですけど、虎次郎のアトリエで制作していたら、バイオリンの音色が聴こえてきたって言うんです。虎次郎、バイオリンを熱心にやってたんですよ。ぞっとしました。来ちゃった（笑）。そうやって現代のアーティストたちは先人の仕事をけっこう大切にしているんですよね。私たちがよく知っている戦後のアーティストたちは、過去を全部捨てて、私はこれでいく！みたいな感じだったけれど、今は違うね。

原田　温故知新。新しいクリエーションってそういうことだと思います。古いものから学んで、それをどう乗り越えるか。

大原　倉敷だけじゃなく、このところ瀬戸内国際芸術祭で瀬戸内文化圏が盛り上がっているのは、いいことだと思います。このあたりはもともと海を通じて、世界に開けていたし、変化してゆくのは昔から日常茶飯事なんですよ。だってつい昨日までは平家だったのが、今度は源氏、みたいな情勢の中にいたから。私たちの美術館がひとつのインターフェースのモデルになったように、瀬戸内の芸術祭もいま、非常にいいモデルになっていますよ。

今度、うちでは古代エジプト・西アジアへの新しい展開をはじめますよ。西洋美術やって、日本美術やって、日本の深掘りをしてゆくと、今度はまた世界に目が向く。虎次郎が西アジアやエジプトの古代のすごいものを買ってきていたんです。大英博物館の所蔵品とペアみたいなものもある。いま、イランからエジプトに至るあの地域に対して、私たちはもっと目を開いていかなきゃいけない。

原田　イスラム国（ＩＳ）のニュースもありますが、恐ろしい事件が起きたから、そこから目をそむけるとか、ヘイトするじゃなくて、大事なのはやはり理解しようとすることだと思います。何が起きているのか、どんな文化を持っている人たちなのか。そんな時、アートや文化財はいいインターフェースになる。イスラム美術も本当に素晴らしいですからね。

（２０１５年２月13日　倉敷市・大原美術館にて）

【インタビューを終えて】

大原さんは、とても温和な笑顔のジェントルマン。一言一言に、「僕はアートが大好きなんです」という情感がこもっていて、自然と話にのめり込んでしまう。偉大な祖父と父の系譜を継ぐお立場ながら、気取ったところがなく、さあ一緒にアートの話をしましょう、と両手を広げて誘ってくださっている雰囲気が楽しい。ほんとうに優れた人はけっして偉ぶらないものだと、何かの本で読んだことがある。大原さんこそが、そういう人だと思う。

竹宮惠子

たけみや・けいこ

漫画家／京都精華大学学長

1950年、徳島生まれ。徳島大学を中退。1968年、「週刊マーガレット」の新人賞に佳作入選して漫画家デビュー。1970年、上京して練馬区の通称「大泉サロン」で萩尾望都らと同居、漫画を制作。1980年、「風と木の詩(うた)」「地球(テラ) へ…」で小学館漫画賞を受賞。2000年、京都精華大学教授に就任。2012年、日本漫画家協会賞文部科学大臣賞を受賞。2014年、紫綬褒章受章。2014〜18年、京都精華大学学長。2020年、同大学名誉教授。

原田　私は子供の頃から少女漫画が好きで、竹宮先生の「風と木の詩（うた）」や「地球（テラ）へ…」は雑誌連載時からリアルタイムで読んでいました。少女漫画を読んでいなければ、小説家にはなっていません。特に「風と木の詩」には強い影響を受けていて、今も自分の創作活動に大きな光を投げかけてくれています。先生はなぜ漫画という表現手段を選ばれたのですか？

竹宮　小学生の頃、最初に読んだのが島田啓三（しまだけいぞう）さんの『冒険ダン吉』。散髪屋さんに置いてあったいろいろなマンガの絵を真似て描いているうち、自分でオリジナルのキャラクターが描けるようになりました。チラシの裏に毎日絵を描いていましたね。故郷の徳島では、阿波踊りの時に親戚の家に集まるんですけど、大人たちが話をしている間、子供たちは別の部屋に入れられて時間をつぶさなきゃいけなかった。そういう時も、従兄弟たちと親交を温めるのに、とりあえず絵を描いて見せていました。そのうちそれだけでは芸がないと思って吹き出しをつけだした。「この次はどうなるの？」と言われて、こうだよって1コマずつ描いていく。そんな遊びの中から自然に漫画を描くようになりました。図画工作は得意でしたね。通知表はいつも5。そもそも発想がヘンだと周囲に言われていました。小学校で、粘土で河童の首振り人形を作ったことがあったんですけど、私には黄桜のCMに出てくる泳いでいる河童のイメージがあったので、寝っころがっているようなのを作ったの。みんなは立っている形だったのに一人だけ違った。先生が「こんなの作った人がいるよ」って珍しがってみんなに見せて。そんなふうにみんなと違うものを作りたいと思ったのは、母の影響かもしれません。満州から引き揚げてきた母は洋裁ができる人で、払い下げになった軍用毛布でマントを作ったり、サスペンダー付きの妙におしゃれなモンペを作って、物議をかもしたそうです。

原田　本格的なストーリー漫画はいつから描かれるようになったんですか？

竹宮　中学1年の頃から、学校から帰ってくるとわら半紙に毎日数枚コママンガを描いていました。できるだけ長い物語にする。ちゃんと終わらせていました。それが密かな楽しみで、本を読んでいるふりをしながら描いていたの。マンガ誌に投稿して入選したのは17歳で、その翌年にデビューしたんですが、その後もしばらくは徳島にいたんです。東京にいないからこそ、正しい漫画を描かなければならないという気持ちが強くて、描き方はごくごく標準的だったと思います。ところがいざ東京に出て、やはり同じ頃、大牟田から出てきた萩尾望都さんと出会ったら、彼女はとてもオリジナリティのある表現のできる人だった。オーソドックスな描き方とオリジナリティへの興味とのせめぎ合いの中で、いきなりスランプ。ただまだ描き手が少なかったから、仕事はあったんです。それをこなしながら悩みと戦う、みたいなことが24歳ぐらいまでありました。

原田　24歳なんて、でもまだ全然若いですよね。竹宮先生の作品は、絵もストーリーも素晴らしいけれど、どちらが先行するんですか？

竹宮　最初は絵ですね。石ノ森章太郎（いしのもりしょうたろう）先生の表現力について、石ノ森ファンの漫画家とよく話しました。汗の描き方がいいとか、吹き出しの形がいいとか。いま漫画言語調査ということをやっていますけど、石ノ森先生のひと時代早い表現がいっぱい見つかって面白いですよ。たとえばうまく言葉を発せない状態を「……」で示すとか、せりふでも感情表現することを先駆けた人だった。そういうものを写し取ってゆくことが勉強でした。同世代だと、大島弓子（おおしまゆみこ）さんが吹き出しの外に花を散らす表現をやったり。絵のないコマに吹き出しだけ存在させたのも、たぶん大島さんが最初じゃないかな。

美術や映画の影響

原田　私は大学で美術史を勉強していた頃、友人が立ち上げた表象文化研究会というところで少女漫画における美術的要素を分析したことがありました。「風と木の詩」論まで書いてます(笑)。背景の模様はビアズリーから来ている、そしてビアズリーのこの絵柄は浮世絵から来ている、というようなことを研究したんですが、「風と木の詩」は19世紀末フランスが舞台だから、非常にジャポニスムの影響を受けていると感じました。

竹宮　バブルより少し前の'70～'80年代には、ビアズリーのイラスト集なんかがたくさん出版され、影響受けましたね。ミュシャ展も来ました。山岸凉子さんはミュシャのデザイン的な色づかいを取り入れておられたと思います。あの頃は本当にマイナーな画集やイラスト集もたくさん出ていた。バルビゾン派の展覧会にも行きました。バルビゾン派には物語性があるし、日本画の朦朧体のような境界線を描かない描き方にも影響を受けました。

原田　竹宮先生はラファエル前派もお好きなんですよね。私、ラファエル前派って以前はバタくさくてちょっと苦手だったんですけど、数年前にテート・ギャラリーでまとめて見た時、新しい表現の前にいったん古典に回帰してゆくアーティストたちの戦いのようなものがわかってきた。

竹宮　インサイトがよく見える一派。変わろうとした時代の表現ですよね。

原田　インサイトと言えば、竹宮先生の漫画のキャラクターもすごく作りこまれていますよね。登場人物ひとりひとりをスピンアウトさせてもそれぞれのストーリーが描けてしまうほど。

竹宮　なにかエピソードを作ろうとすると、この人だったらどんな反応をするだろうと考えて、その場で作りこんでいかざるをえない。たとえば誰かが倒れそうになっているのを止めようとするとき、すぐに手を出すのか、一瞬とまどうのか、人によって違いますよね。長い物語をやっているとそれが溜まっていって、この人物はここではこう言うということが次第にわかるようになる。

原田　キャラクターが自然に動き始めることは、小説を書いているときにもあります。そのとき本当に、その人物を自分のものにできたという気がしますね。ところで「風と木の詩」はすごく映画的でもある。映画からの影響は大きいですか？

竹宮　東京の大泉で暮らすようになってから、一緒に暮らしていた仲間たちと、あらゆる映画を見て勉強しました。パブリック・スクールの少年ふたりが温室の中で愛し合うようになる映画を、アテネ・フランセまで見に行ったこともあります。その後、萩尾さんは「温室」という少年同士の想いをテーマにした漫画を描いています。私が最初に少年同士の恋愛をテーマにしたのは、「サンルームにて」（旧題「雪と星と天使と…」）。

原田　「風と木の詩」も少年同士の恋愛がテーマで、またコマ割りもものすごく大胆なカットアウトがなされていて、これを少女時代の自分が読み解いていたなんて、今さらながら驚きます。ナレーションとせりふがかぶっていく……。

竹宮　特に読みづらいというような読者からの反応はなかったですね。映画で映像が重なることがありますが、それを漫画でもできないかと試みました。でも自分が最初にそういう手法を取り入れたという自覚はあまりないんです。たとえば、コマを割れた鏡みたいにバラバラに表現する手法は一条ゆかりさんもやっていました。漫画の世界では手法についてはオープンソース化されていて、それを取り入れて使っても、誰もどうこう言わない。

憧れのフランス

竹宮　パリは誰もが憧れる町で、本もたくさん出てましたし、創刊されたばかりの「anan」や「non-no」などの雑誌もさかんにヨーロッパの特集を組んでいたの。とても買えやしない高いお店の住所も載っていて。私もパリが大好きになって、そうした本や雑誌を熱心に読んで、1972年に実際に行くことになった時はさらに勉強しましたよ。外で電話する時はカフェでジュトンというものを買って、カフェの地階にある公衆電話にジュトンを入れてかけなければならないなんてことを本で知って、仲間がホテルにいる時にわざわざカフェから電話してみたり。実際にいろいろ体験してみた。

原田　竹宮先生が萩尾さんや山岸さんとヨーロッパ旅行に行かれたことで、日本の少女漫画に地殻変動が起きましたね。

竹宮　パリでは、落ち葉の中のフォルクスワーゲンだとか、ホテルの二重窓とか写真もずいぶん撮りました。父がカメラ好きだったので、私も写真にはもともと興味があって、旅行に行く前にオートマティックのカメラを買いました。

原田　フランスって壁紙にもソファにも模様があるけれど、それが意外とマッチしていたりして。「風と木の詩」にも壁紙しっかり描かれていますよね。そこまでディテールが描きこまれた少女漫画、私、見たことなかったです。寄宿舎も実際に見られたんですか？

竹宮　何回目かのヨーロッパで見せてもらいましたね。日曜日の、外部の人が入ってもいい日に出かけて、少年たちが家に帰っていくのを見て、きれいだなー、幸せだなーと思って（笑）。部屋が船室みたいに狭いのがまたよかった。すべてが古い木でできていました。

ライフワーク

原田　竹宮先生が「風と木の詩」を描きたいがために、その前に「ファラオの墓」をヒットさせて人気を確立したという話は衝撃的です。

竹宮　「風と木の詩」にはクリアしなければならないことが山積みだったんです。時代も違う、外国が舞台、同性愛差別の問題。リアルにするためには調べ事がいっぱい。絶対に失敗できなかった。それでも、最初のシーンさえ描ければ、いちばん高いハードルは超えられると思っていたんです。周囲の人から、何もそこ（男性二人のベッドシーン）から始めなくてもねって言われたんですけど。

原田　ありがとうございます。このシーンだからこそ、私たちの心が高揚したんです。こういう表現があっていいんだ、それを読んでいいんだって、思いました。今でも勇気づけられます。そこまで描きたいと思われたのはなぜなんですか？

竹宮　その時代の少女小説が、ある壁を超えない、という苛立ちがありました。ラブストーリーでハッピーエンド。キスシーンは軽いのはいいけど濃厚なのはダメ。少女は清純にしておきたいという、おじさん編集者の願望（笑）。フリーセックスという言葉が横行している時代に、なぜベッドシーンがダメなのか、表現者としてはわからなかった。家族のヌード写真を撮る女性写真家が出てきた時代に、いいかげんにしてよ、という気持ちがずっとあったんです。編集者によると、腰から下を描くと警察がうるさい、公序良俗に反するという理由で始末書を書かされる、ということだった。じゃあ男だったらどうなんですかと訊いたの。そうしたら、それは不問だろう、というお答えだった。え、そっち？ってびっくりして、男性同士だったらベッドシーンを描けるじゃないか、と思ったんです。女の子たちが男同士のキスシーンを見てもオッケーだということは既に「空がすき！」で試していたし、「サンルームにて」で少年同士の恋愛も問題なかった。女の子には男性同士の恋愛も受け入れる懐の深さがあるとわかっていました。

原田　大人の事情の盲点を突いたところに、突破口があったわけですね。でもそれは先生ご自身が表現に対して非常にハングリーだったことが大きいでしょう。上から押さえつけようとする力に対してのレジスタンスだったのでは？

竹宮　反対があったから超えようというよりは、既にみんなそういうものを認めているのにおかしいよ、という想いがありました。誰にとっても普通の肉体というものを取り上げる、漫画表現で新しい門戸を開くことには意味があると考えたんです。

人物の造形

原田　その突破口になった作品にジルベールのような、少女漫画史の中では決定的に新しいキャラクターが出現したわけですが、彼のイメージソースみたいなものはあるんですか？

竹宮　それがないんですよ。自分の思いつきで描き始めた。性に対してまったく垣根のない人としてジルベールを描きたかったんです。プライドはあるから凌辱は嫌。でも好きな人に対しては垣根はいくらでも超えられるよ、というある意味動物的な人。けっきょくセックスの問題って、どこまでが動物でどこまでが人間か、微妙じゃないですか。セックスをテーマにするならそこを考えなきゃと思って、スタンダールの『恋愛論』とかまで読みました（笑）。

原田　ジルベールとセルジュは対照的なキャラクターですけど、それぞれがとても魅力的ですよね。ジルベールはそれまで抑圧されてきた少女たちがオープンになってきた、彼女たちが乗り移ったような存在。セルジュの方が道徳に縛られている。けれど、セルジュがいるからジルベールが際立つ。そういうふたりが長い時間をかけて近づいてゆくことに本当にドキドキしたんですけど、悲劇の最後はご自身で決めて描かれたんですよね？

竹宮　不幸な終わり方にならざるをえないことはもう、最初からわかっていました。特に二人が駆け落ちしてパリに出てからは辛かったけれど、そこもある程度の長さで描かなければならないと思っていたんです。その時はまた別のモチベーションがあった。恋だけでは終われない生活というものを読者に知ってほしかったし、それがわかった上で恋をしないと怖いよ、ということも伝えたかった。自由恋愛の時代だからこそ、そこは描いておかなきゃと思ったんです。読者にとっては二人が結ばれるところが山場だろうと思ったので、そこは露骨にではなく、精神的に結ばれることを表現しました。

原田　非常によく覚えています。薔薇の花びらがだんだん開いてゆくようなシーンで、本当に綺麗で。私は小説を書いていて、今でもふとこの漫画の場面が浮かぶことがあります。いいせりふがいっぱいあって、アスランが息子のセルジュに知性を与える、いい言葉をたくさん残している。人の人生に光を投げかけるような言葉を自分もつむいでいかなければと、襟を正す思いです。先生の今後の創作のお仕事は？

竹宮　ひとつ描いてみたいテーマはあるんですけど、特に本に載せるということは考えていません。漫画は時代の映し鏡ですから、ネットでもいいし。近頃のペン先がどうも私に合わなくなってきていて、いいタブレットがあればそれで描いてもいいと思っています。

原田　先生はいま「原画'（ダッシュ）」というプロジェクトで、原画のアーカイヴ化を進めていらっしゃいますけれど、やはり古典を大切にして次の世代のクリエイターに渡してゆきたいですよね。

竹宮　先日、16歳の人からBBSに書き込みがあって、「風と木の詩」を読んだ感想を書いてくれて、かなり読み込んでくれているなと感心しました。そう、「風と木の詩」は20～30代で描いているけれど、その後の「地球へ…」と比べると言いたいことの重みが違うような気がします。強い気持ちを持って作品を制作すれば、読者はちゃんと答えてくれますね。

（２０１５年４月28日　京都精華大学学長室にて）

【インタビューを終えて】

14歳のときに初めて読んでから、もう何度「風と木の詩」を読んだかわからない。いまだに執筆の最中や移動しているときなど、ふとした瞬間に、作中のコマやセリフが蘇ることがあり、もはや細胞レベルで刷り込まれていると感じる。私がフランスを舞台にした小説を書くようになったのも、同作の影響あってこそ。読者（＝私）の人生に光を投げかける竹宮作品は、時を超えて読み継がれるだろう。永遠を生きるアートワークのように。

竹宮惠子

美輪明宏

みわ・あきひろ

シンガーソングライター／俳優／演出家

1935年、長崎生まれ。1945年、自宅で被爆。1950年、上京して国立音楽高等学校（現・国立音楽大学附属高等学校）へ進学した翌年、シャンソン喫茶「銀巴里」で歌手デビュー。1957年、「メケ・メケ」が大ヒット。1967年に寺山修司の『毛皮のマリー』、翌年、三島由紀夫が戯曲化した『黒蜥蜴』で主演を務める。2021年度日本放送協会放送文化賞を受賞。

原田　美輪さんの自伝『紫の履歴書』を拝読しましたが、少年の頃からアートに囲まれていらしたんですね。

美輪　少年以前ですね。家は長崎の繁華街で手広く水商売をやっていました。料亭もカフェもやっていたから、和洋両方の文化に触れられました。着物屋さんがしょっちゅう反物を持ってきたり、お客様に飽きられないよう床の間の掛け軸をしばしば変えるような生活環境。質屋もやっていたので、美術品、骨董品もよく見ていました。カフェの女給さんには、ロシア人や中国人、韓国人のハーフの人たちもいて、みんな仲が良くて。上海へ行って、『風と共に去りぬ』を見た話なんか聞かせてくれました。日本での封切りは戦後でしたけどね。

私の母は美人で有名だったものですから、軍人が日本刀持って言うことを聞かせようと脅しにきたこともありました。そういう時には円山応挙の幽霊画を裾模様にした着物で「いらっしゃいませ」とお迎えするんです。そうすると、軍人さんも、そんな不気味な着物で側に寄るな！と怖がった（笑）。幽霊は墨で描かれていて、行灯と唇だけが朱赤でしたね。着物でもハイヒールを履いてイヤリングして、胸にはクロスを掛けて、髪の毛は夜会巻き。あるいはワンピースの時にも大振袖の羽織をはおっていました。その羽織裏が麻雀の牌だったり、飛行船だったり、アール・デコ柄でした。家の隣の劇場ではよく映画も見ましたし、やはり隣の骨董屋さんには、本物かどうかわからないけれど、狩野探幽の絵が掛かっていました。

そんな環境の中で、自然に絵心のようなものが芽生えました。小学生の時に、父親に絵描きになりたいと言ったら、ものすごく高価な顔料や胡粉などの絵具を全部そろえてくれたんです。小学校1年生ぐらいから、林寿子さんという方のところへ日本画を習いに行っていました。

原田　洋画にもご興味はありましたか？

美輪　ええ、もちろん。長崎には、日本に帰化して何代目というオランダの人たちがいて、彼らの家へ行くと、家の壁に三段掛けぐらいにして油絵が飾ってあって、素敵だなと思いました。水彩画を描く時は、そんな洋画風なものを描きましたね。ゴッホ、ゴーギャン、ロートレック、モネ、マネ、マティス、そうした作品も印刷物で見ていました。

原田　でも、次第に軍国主義に……。

美輪　文化を禁止されました。あるご夫妻は、二村定一（ふたむらていいち）さんの『アラビヤの唄』という音楽をレコードで聴いていただけで、警察に引っ張って行かれました。帰ってこられたときはもう、身体が不自由な状態に。軍歌以外聴いても歌ってもいけなかったんです。私たちの御先祖さまが練り上げてきた文化が、すべて禁止されました。軍人こそが国賊ですよ。世界に誇る日本の文化をたったの5年でゼロにしちゃったんです。

1920年代の文化

美輪　戦後、進学のために東京へ出て、銀座のお店でアルバイトをするうち勤めることになって、画家の東郷青児さんや中原淳一さんと知り合いましたが、あの方たちも戦時中は美人画や抒情画は不謹慎だとされて、筆を下ろされたそうです。そうそう、東郷青児さんに「俺のお稚児さんになれ」と言われたことがあったんですが、私の趣味じゃないから駄目ですとお断りしたんです。その後、東郷さんの若い頃の写真を見たら、渋くてすごくいい男だった。この頃だったらなんでも言うこと聞いたのに、と言いました（笑）。東郷さんは、マリー・ローランサンの活躍していた時代のパリに行かれて、戦後は資生堂の包み紙の絵をお描きになったりしたんですけど、商業デザインの仕事をすることを、周囲からすごく非難されて気の毒でした。

原田　１９２０年代、パリのレ・ザネ・フォール（＝狂乱の時代）は、私も大好きな時代で、小説にも書きました。

美輪　あの頃は美術、文学、音楽、ファッション、あらゆる美の最高潮ですよ。今はもう「聖なる怪物」と呼ばれるような人たちが出てきませんもの。エディット・ピアフやイヴ・モンタンが最後の世代。日本の文壇では泉鏡花、谷崎潤一郎、川端康成、三島由紀夫、そして寺山修司ですね。日本には戦争が終わった後にアメリカ文化が流入してきたけれど、当時のアメリカ文化はつまりヨーロッパ文化。チャップリンもビビアン・リーも英国人。グレタ・ガルボやイングリッド・バーグマンはスウェーデン人。その頃の俳優さんたちはみんな節度があって上品だった。ところがこれがプレスリーあたりから、不良文化になっていったんですね。その真似をして日本も日活、東映、大映まで、みんな不良作品ばかり作るようになったんですよ。でも『冬のソナタ』の頃から今度は正統派を欲する時代になりましたね。ハニカミ王子、ハンカチ王子、内村航平くん、羽生結弦くん、浅田真央ちゃん。女優さんも小雪ちゃんとか新垣結衣ちゃんなど、まとも路線に戻ってきました。ところが提供する側はそれに気づいていない。あらゆるジャンルの企業がユーザーから2周、いや3周遅れています。私は今、クラシック・カー風な車に乗っているんですけど、昨日も通行人の方に、どこの車ですかと訊かれました。ロマンティックなデザイン、美しいフォルムと色。若い人も外国の方も欲しがる車なんです。車が売れないと言いますけど、それは作っている側が何を求められているかわかっていないからでしょう。ファッションについては最近、私があまりうるさく言うから、若いデザイナーのお嬢さんたちが手作りでカラフルなものを作り出していますよね。東京カワイイファッション。そうしたら世界中からみんな盗みに来ているでしょう。レディ・ガガのファッションも、実は古いもの、エルテの模倣ですよ。けっきょくファッションのパターンというのは'20年代に全部出てしまっています。

原田 激しく同感します。ファッションだけでなく、アートも含めた当時の文化が全部、今のカルチャーの基礎になっているように感じます。

美輪 新しい方法はあの頃にぜんぶ出尽くしていますよ。マイケル・ジャクソンの『スリラー』のPVはディアギレフのロシア・バレエの模倣です。記録映画で残ってますよ。ゾンビがずらりと並んで、同じ振り付けでカメラに向かってダン、ダンッと向かってくる。衣装と背景が違うだけ。きっと周りのスタッフにもそれぐらいの教養があったんでしょうね。

原田 そうした時代の後の、たとえばアメリカの画家ジャクソン・ポロックなんかは、新しい表現を生み出すには、ピカソを超えるしかない、と考えましたね。

美輪 無理ですよ。そうした価値観から脱却するには、古い、新しい、ということを目安にしてはいけないんです。古典的か前衛的かではなく、いいか悪いか。感動を与えるようなものか否か。それだけを基準にすればいい。手法が古いから駄目、なんてことを言っていたら、《モナ・リザ》はどうなるんですか。ギリシャやローマの彫刻もみんな古臭いから駄目、ということになってしまう。ただ、見る人の健康状態もあるし、その時の環境や育った環境、人生経験によって、受け取り方はいろいろです。誰に対しても同じ効力を発揮するようなものを探すのは大変ですよね。食事でも同じだと思うけれど、関西の薄味は水みたいで嫌だという人もいれば、東京のおしょうゆ味のお蕎麦なんて食べられないという人もいる。だから私は、食通というのは実際はいないと思っているんです。「この味をわからなかったらお前、通とは言えないぞ」なんて強要するのは、傲慢です。伊藤若冲の絵だって、カラフル過ぎて重くてケバくて嫌だという人もいれば、やっぱりこれぐらい華やかなのがいいという人もいる。アートはもっと自由に見てもいいと思います。

江戸川乱歩と三島由紀夫

原田　美輪さんは少年時代から美しいものに囲まれ、リベラルな人生を歩んでこられ、ご自身の価値観を確立していらっしゃいました。その過程で最も強く影響を受けたことは、何でしょうか？

美輪　例をひとつだけ挙げるのは難しいけれど、中学生の時に上級生に「君ね、ラジオのどのダイヤルを回しても楽しめる人間になりなさい」と言われたのは、すごくプラスになっています。当時はラジオしかありませんでしたが、政治、経済、文学、美術、音楽、スポーツ、あらゆるジャンルのものを、知識や技術として身につけるのではなく、楽しめる人間になりなさいという意味だった。12～13歳の頃のことでした。私はちょうど図書室の係をしていたので、美術本から文芸誌まで、片っ端から読んでみました。小学生の頃も、家に帰るとカフェの女給さんたちが寝泊まりしている20〜30畳の部屋に、婦人雑誌から文庫本からいろんなものが山積みになっていて、彼女たちがおもしろがって私に読ませました。志賀直哉の『暗夜行路』を朗読させられて、私が読むとみんな大笑いして喜んでいましたね。

原田　小学生で『暗夜行路』ですか……。

美輪　そう。江戸川乱歩さんの作品も、小学生の時に全部読んでいました。だから銀座のシャンソン喫茶「銀巴里」で歌っていた時に17代目勘三郎さんに江戸川乱歩さんを紹介された時は、すいすいお話できたんです。私は明智小五郎に憧れていたので、先生に「明智小五郎ってどんな人？」と訊いたら、「腕を切ったら青い血が出るような人だよ」と言われ、「冷静沈着で、どんなことがあっても感情的にならなくて、青い血が出るって素敵ですね」と返したんです。そうしたら「ふーん、そんなことがわかるのかい。おもしろい。じゃあ君の腕を切ったらどんな色の血が出るんだい？」と訊かれ、「七色の血が出ますよ」って言ったら、「おもしろいね。切ってみようか。おーい、包丁持って来い！」。馬鹿なボーイが本当に包丁を持ってきちゃったんで、「およしなさいまし。ここを切ったら七色の血から七色の虹が出て、お目が潰れますよ」って言いました。またおもしろがられて年齢を訊かれ、「16歳でその科白かい。へんな奴だな」と、以後、ファンになってずっと銀巴里に来てくださいました。

原田　まるでお芝居のような科白！

美輪　銀巴里ではそんな会話ばかりでしたよ。三島由紀夫さんもよく来てくださったけれど、私が雑誌で連載をしていた時に対談相手をしてくださったことがあって、人前なのにこんなことをおっしゃいました。「君には95パーセントの長所がある。容姿容貌も優れているし、頭の回転もいいし、才能もある。だけどあとの5パーセントの欠点がその長所をぶっとばすほど最悪だ」と。「そんなにすごいパワーのある短所って何ですか?」とお尋ねしたところ、「俺に惚れないことだ」。だから私は「尊敬し、敬愛する人に対しては恋愛感情は抱けないんです。正直すぎて世渡りが下手な頼りないかわいそうな人に対しては、どうしたの?って恋愛感情につながっていくんですよ」と答えたら、「君は誤解している。君と別れて帰っていく雨の日の僕の後ろ姿を見ろ。震いつきたくなるぐらいかわいそうなんだぞ」って。おもしろいでしょう?

そういう会話ばかりで、楽しかったですよ。

もっとロマンを

原田 会話にエスプリがありますね。

美輪 遊びが、ユーモアがありました。戦後で、みんな貧乏だったけれど、余裕があったんですよ。「生きる」ことを「活かす」と書いて「生活」でしょう。今の時代はただ生きているだけの人が多いじゃないですか。起きて食べて仕事してウンコしてまた寝るだけじゃ、まるで人糞製造機です。文化を上手に使いこなしていない。今は恋愛しない時代というけれど、恋愛できるようなシチュエーションも少ないですよね。カフェのBGMだってハードロックやラップで、音楽というよりノイズに近い。静かに愛を語るムードにはなれません。フォルテばかりでピアニッシモがない。私がかつて慶應ボーイと大恋愛していた時なんかは、シャンソンをかける喫茶店に行って、ふと流れてきた音楽に気づいてお互い目を見つめ合って、それだけでいい雰囲気になりました。周囲の環境が恋愛に助太刀してくれた。でも先ほども言いましたけど、この頃とても資質のすぐれた若い人も出てきていると思いますよ。

原田　先日うかがったコンサート会場にも若い方々がたくさんいらっしゃった。

美輪　64年間芸能生活やっていますけど、ふつう私の年代のタレントさんのコンサートやお芝居は、会場全体が養老院の慰安会みたいになるんです（笑）。でも私の舞台には下は高校生から20代、そして30〜40代のお客さまが圧倒的に多い。とてもしっかりした小学生の男の子から花束をいただいて、びっくりしたこともあります。

原田　しかし64年間、何度もブームがあり、常に不死鳥のように蘇っていらっしゃるのは、すごいです。美の表現者である美輪さんご自身が、今や美輪明宏というひとつのアートピースなのではないかという気がします。

美輪　いろんなジャンルのアートを吸収して食べて、自分の細胞に、遺伝子にしちゃったところはありますね。日本舞踊やスペイン舞踊をやっていると、芝居をやるときに煙草を持つ手にしても、形のいい指というものがわかるんです。ですから、お風呂に入りながら指は丁寧にマッサージしています。身体をどう動かせばドレスが後ろに綺麗に流れるかなど、そういうものを全部計算して、技術的にどう動かせるかをずっと考えてきたんですよ。自分で肉体を練磨してかわいがってあげると、応えてくれるものです。今も手には老人斑もないし、皺もないですよ。

原田　なにか特別なお化粧品を使っていらっしゃるとか？

美輪　いろいろなお化粧品をいただきますけど、まあ、なんでもいいからつけておけばいいんです。意外と無精なんです。あとは朝起きた時、顔を洗った後に寝皺をちゃんと伸ばしてあげること。

原田　本当に80歳とは思えない。お綺麗ですよね。ところで私、思うんです。アートというものは生きていく上で絶対に必要なものではないかもしれませんが、アートがあるのとないのでは人生の豊かさが全然違ってきますよね。

美輪　いいえ、アートは必要なものです。アートを享受することを許されているのは、人間だけ。それは人間の権利です。今の若い人はアートに触れたりロマンにひたる環境がないのが、本当にかわいそうですけど、自分で作らなきゃしょうがないですね。シェアハウスというのがあるけれど、あたたかい色の照明にして、ショパンのノクターンが常にかかっている、ソフトな色のインテリアのシェアハウスを作ればいいのにと思います。つまらない漫画ではなく、美術雑誌や画集など、美しいものを置いて。

原田　美輪さんプロデュースのシェアハウス、入居者が殺到しそうですね（笑）。

（２０１５年6月30日　東京・美輪明宏邸にて）

【インタビューを終えて】

麗人、佳人、美人……美しい人を表す言葉は数あれど、美輪さんを一言で言い表すのは難しい。独特の美と迫力を兼ね備えた人である。発散するオーラは半端じゃなく、対面している間じゅう、まさしくオーラの泉にどっぷりと浸かっている気分だった。美輪さんはただ美しい花ではない。ときに毒があり、痺れさせる花。くじけそうな人のもとにあっては、励ましてくれる花。「美輪明宏」という名の、世界にただひとつの絢爛豪華な大輪の花である。

鹿島茂

かしま・しげる

フランス文学者

1949年、神奈川生まれ。東京大学大学院博士課程を満期退学し、共立女子大学に勤務。1991年、『馬車が買いたい！ 19世紀パリ・イマジネール』でサントリー学芸賞を受賞。2000年、『職業別　パリ風俗』で読売文学賞受賞。2008〜20年、明治大学教授。2011年以降、練馬区立美術館で版画や稀覯本などの「鹿島茂コレクション」展を開催。

原田　いま19世紀末のパリが舞台の小説に取り組んでいるので、当時のパリの風俗など今日は鹿島先生に教えていただきたいことがあります。でもまず最初にお訊きしたいのは、先生がそもそもなぜフランス文学の研究をしようと思われたのか、ということです。

鹿島　じつはあまり深い理由はないんです。僕の実家は天保から続く酒屋なんですが、家族も人の出入りも多かった。それで、子供の頃から良い人か悪い人かを見分けるために、人の顔をよく観察していたんです。悪い奴は悪い顔をしてる。大学に入って専攻を選ぶ時に、最初は英文科か国文科にしようと思っていたんだけれど、説明会に来た先生の顔を見たら、こりゃダメだって思っちゃった。仏文の先生は全然知らない人だったんだけど、この人はいい、これで決まり！と、それで仏文にしたんです。つまり顔で選んだ（笑）。

フランスに憧れた学生たち

鹿島　大学紛争真っ盛りの１９６８年、駒場（東京大学教養学部）の学生３５０人のうち１割ぐらいが仏文に行く時代でした。僕は、左翼が増えると仏文が増える、という法則を立てているんだけど、当時の若者は、自由という絶対価値を求めて、日本はもうだめだからパリに行こうという発想でパリを目指した。

原田　個の解放がフランス発信であると、学生さんたちは感じていたのでしょうか。

鹿島　いま考えてみると、日本の家族は親子三代で住むような非常に拘束力の強い直系型なんだけど、フランスは真逆で、長男だけが特別扱いではない、兄弟が平等な核家族の社会だったんですね。ただ僕の父親は勉強したくても商人に学問はいらないと言われて、商業学校まで終わりだったんだけど、僕らの時代には次男、三男も大学進学を許されて、都心の巨大私学に進学できるようになっていました。そういう人たちが中心になって展開した'70年代の安保反対運動は、'60年代とはまたぜんぜん違いました。

原田 先生も運動に参加されましたか？

鹿島 僕は緑ヘルメットの「フロント」っていう弱い党派の端っこにくっついていろいろやりましたけど、1年生の頃だったからただの兵隊。

原田 そんな学生時代に、自然とフランス文学に入っていかれたんですね。

鹿島 翻訳でだいぶ読みました。でもフランス語を本当にやったのは、教師になってからなんです。僕は留学試験に落っこちたその翌年、大学に就職が決まっちゃった。幸か不幸か28歳で大学で教え始めたので、初めて長期でパリに行ったのは、その長期在外研修の時です。留学生じゃないから図書館にこもって論文を書く必要はなくて、その時に、なるほど資料は図書館で借りるんじゃなくて、買えばいいんだと気付いた。これは自分史上最大の驚きでしたね。19世紀の資料でも金出しゃ買える！って。それで大借金することになったんだけど、当時はバブル期で、銀行がガンガン貸してくれたんです。

古書に狂い始める

原田 最初の1冊は何だったんですか？

鹿島　『パリの悪魔（Le diable à Paris）』という挿絵入りの19世紀のオリジナル本。バルザックや当時の作家たちがパリの風俗について書いたもの。これは日本の書店で見つけた時、15万円だった。当時の月給が15万円だったから、迷ってけっきょく大学に買ってもらったんだけど、そうすると1ページ目に大学の蔵書印がバーンと押されている。こりゃダメだと思って、それからはもう自分で買うしかない、となった。それが34〜35歳頃かな。

原田　私は古書についてては門外漢ですけど、先生のご著書を拝読していると、本そのものへの愛だけではなく、集めるという行為に対する情熱が感じられます。

鹿島　僕の性格もあると思う。実家の酒屋の裏の倉庫にガラクタがいっぱいあって子供の頃はそこを探検するのが楽しみでした。その後、映画にはまった頃は、映画は集められないものの、見るべき映画をリストアップしてどんどん消していった。家庭を持ってしばらくはそういうことができなかったけど、古本に出会って再び蒐集熱が燃え上がった。コレクターにとって面白いのは、この世に存在するものを集めることで、この世に存在しないものを作ることができるところなんですね。

原田　なにやら禅問答のような？

鹿島　既に存在するものの分け方を工夫すると、それまで価値のなかったものに価値を持たせることができる。例えば19世紀のものに価値があった時代、シュルレアリスト関係のものなんてほとんど無価値だった。コレクターはそれを集めて価値を創造した。コレクター気質の人にはオモシロイひとがたくさんいて、たとえばタレントのなぎら健壱さんなんて、新聞の折り込みに入ってくる不動産のチラシを集めてる。そうすると、東京の空撮写真が全部そろうんだそうです。そうやって無価値なものに価値を見出すことが、コレクションの王道なんです。

原田　昔のヨーロッパの王様や貴族で蒐集癖のある人は、いまの美術館の元になったキャビネ・ド・キュリオジテ（Cabinet de Curiosités＝好奇心の部屋）やヴンダーカマー（Wunderkammer＝驚異の部屋）といった陳列室を作って、人に見せましたよね。先生も、集めたものはやっぱり見せたいタイプですか？

鹿島　僕はいったん集めてしまうと、ものそのものにはあまり関心がなくなっちゃうタイプ。でも、たとえば日本の茶道具コレクターが集めた道具で茶の湯をやって見せる、そういう気持ちはわかるな。

原田　茶道具といえば、千利休が歪んだ茶碗に価値を見出したのは、非常に画期的なできごとだったと思います。

鹿島　コレクターって、最初は正統的なものを集めるんだけれど、途中からかならず珍品主義に走る。新しい価値を見出したくなって、それまで排除されていたものに価値を見つけようとする。新しい価値を最初に見つけた人が勝ち、二番目はもう真似でしかない。現代美術の世界も、同じでしょう。

発見は再発見

原田　私はいま、19世紀末にフランスで日本の美術を紹介した林忠正について調べているんですけれど、当時のヨーロッパの人たちが、外から入ってきたまったく違うエステティックをどのように受け止めたのかに非常に興味があります。

鹿島　それは価値の発見ということなんだけど、僕は、発見というのは基本的に再発見のことだと思うんです。つまり自分たちの中に潜在的にあったもの、しかし気づいていなかったものが、外側から刺激されることによって、見出される。だからジャポニスムは、日本を発見すると同時に、自分たちの中にあったものの再発見でもあった。そもそも自分の中にないものは発見できないんですね。

原田　けだし名言ですね。影響を受けるというのは、そういうことですよね。

鹿島　出会いは全て自分自身の発見ですからね。あるいは自分で何かをやろうと思っていたけれど見出し得なかったものが、外からやってきて発見されるということ。ランボーの有名な詩で「永遠」というのがあるでしょ。小林秀雄はルトゥルヴェ（retrouver）を「また見つかった」って訳しているけれど、「re」は「再び」という意味ではないんですよ。一度失ったものを見つけた時に使う言葉。たとえば財布を落として見つけた時も、ルトゥルヴェ。さらに言うと、自分で失ったことを意識していなかったものを発見した時に使う。そして、ルトゥルヴェする場合もうひとつ重要なのは、自分たちの美的カノンがぎりぎりまで煮詰まって熟していること。だからロマン主義の初期に日本的なものが伝わってもダメだったと思う。アカデミズムもロマン主義も煮詰まり、その時に外からやってきたものに対してルトゥルヴェがあったわけです。タイミングが違っていれば、ただの異物ですまされていた。美術や文学の転換期というのは煮詰まり感に対して外側から衝撃がやってきた時に始まる。これは経済でも政治でもみな同じです。

原田　いまの時代もそろそろ転換期が来そうですね。転換のスピードも速くなっているように感じます。ただ、私は最近パリに頻繁に通っているのですが、フランスは変わらないなぁと思います。

変わらない国の変わったもの

鹿島 それでもフランスはこの30年で変わってはいるんですよ。たとえばフランス語にパン・ド・シュクル（pain de sucre）という単語があって、知らないと「砂糖パン」なんて訳しそうになるんだけど、辞書には「パン型の砂糖の塊」と書いてある。コーン型と言った方がいいと思うけど。砂糖が高級品だった時代はこれを紙に包んで贈り物にしたんです。僕が初めてパリに行った36年前にはまだあった。パリの家の台所に不思議な道具があって、それが砂糖を割る道具だった。その5年後ぐらいにパン・ド・シュクルは消えちゃって、もう誰も知らない。そういう意味で、フランスは1980年代前半までは基本的に19世紀だったと思う。

原田 一方でエッフェル塔やモンパルナス・タワー、新しい建造物も。

鹿島 でもモンパルナス・タワーはいまだに評判が悪い。'60〜'70年代のポンピドゥー政権が、古いものの価値をあまり認めず、片っ端からぶっ壊しちゃったんですね。危うくオルセー美術館も壊されるところだった。ナポレオン3世が作った鉄鋼とガラスの巨大建築レ・アール（パリ中央市場）を壊したのは、最大のミス。

原田 そのレ・アール跡地にはいま、大きなショッピング・センターが建っていますよね。それでもパリは古い街並を残しているほうだと思います。

鹿島　19世紀半ばのオスマンによるパリ大改造計画以降のものはたいてい残っていますね。ただシテ島だけは、博物館としてオスマン以前の状態で残しておくべきだったと思う。僕はそれ以前のパリの風景を復元することを「芸術新潮」の40回の連載「失われたパリの復元」で試みたんです。

パリでの戦い

原田　先日、パリでバスに乗っていたら、リヨン駅の前でゴミ箱を持ったホームレスらしきおじさんが乗ってきたんです。運転手がそんなものを持って入るなら出ていけって言った。そうしたら車内の人がみんな議論を始めたんです。おじさんは、これは俺の持ち物だって主張して、それでバスが30分ぐらい止まっちゃった。誰もバスを降りようとはせず、議論が続きました。日本では考えられない。

鹿島　フランス人のいちばん得意な言葉は「ジェ・ル・ドロワ・ド・何々（J'ai le droit de～＝私には何々の権利がある）」。日本には法律化されていない暗黙の了解事項ってあるでしょう。ところがフランスではアパルトマンを一歩出たら、そこは法律の支配する世界。権利と義務からなる徹底した法治国家なんですね。日本は道治国家。フランスではとにかくすべて成文化される。その代わり、法律で決まるとちゃんと守るんです。感動的だったのが、喫煙。禁じられる前は議会ですったもんだやってたけど、決まったらみんな徹底的に守ってるでしょう。カフェには灰皿もない。日本のようなグレーゾーンはないんです。

原田　日本は道徳観というものに守られている上に、おもてなし文化もある。海外から日本に戻るたびに、日本のサービスは世界的にレベルが高いなと思います。この前、アルルからパリまでTGVに乗った時、なぜか私が乗る予定だった電車が運休になって次の電車と一緒にされたんです。ファーストクラスの席を取っていたのに、席がなくなって食堂車に立ちっぱなし。車掌さんを捕まえて文句を言ったところ、謝るそぶりもなく「2本の電車が1本になったんだから、あなたの席がないのはあたりまえ」と、こちらが悪いみたいに言われて、憤慨しました。パリに戻ってきたら、国鉄の職員が出口でペットボトル入りの水を配ってる。これでチャラにしてくれって。書類も配っていて、ネットで文句を言ってくれと言う。そのさばき方が、ある意味みごと。相手を慮るということがまるでない。

鹿島　フランス人のもうひとつ得意な言葉は「ス・ネ・パ・マ・フォート（Ce n'est pas ma faute＝俺のせいじゃない）」。そう言われたら、あなたのせいじゃないことはわかったけれど、こうした理由があって私にはこういう権利があると、フランス語で反論しなければならない。これが難しいんだ。僕がいちばん頭に来たのは、乗ってた車が寒さでバッテリーが上がって動かなくなったから、バッテリー交換しようと思って買いにいった時のこと。お店で買ったもののサイズが合わなかった。もう一度行って別のバッテリーに換えてもサイズが合わない。店員に、お前が合うって言ったじゃないかと言ったら、「俺のバッテリーは正しい。お前の車が間違ってる」と言われたんです。すごいこと言うなこいつって、むしろ感動した。こうした戦いを続けなきゃならないから、向こうでの暮らしにストレスはつきものです。でも激しく言い合って、これは殴り合いの喧嘩になるなと思って見ていると途中で「ダッコール（D'accord＝了解〉と、握手しあったりする。あれは面白い。相手の理論に対して、自分の理論で対抗しなきゃならないのは、学校で教えていることでもあります。

パリと京都

鹿島　あと、フランスでは根回しも大切です。人によりけりという側面が非常に強い。僕はそれで不動産のオーナーとの契約書でだいぶやりあった。

原田　根回しとコネと交渉と智恵が必要。そういうところ、ちょっと京都に似ていますね。たてまえはけっこう綺麗だけど、裏では締め出しがある。

鹿島　似てますね、フランス人はじつはかなり排他的。日本のように誰でも無差別に歓待してくれるなんてことはなかなかない。でも親しくなると全然違う。

原田　私が驚いたのは、6月にオランジュリー美術館で撮影をさせてもらった時、事前にかなり条件などが厳しいと聞いていたのに、ジヴェルニーの睡蓮についての小説を書いた日本人の作家だということを伝えてもらったら、一瞬でドアが開いたんです。文化的なことに関しては急にオープンになる。それは京都も同じで、旅行雑誌の取材って言うとなかなか開かない門戸が、小説の取材ですと言うとぱっと開いたり。そういうイリュージョンがパリと京都は似ています。

鹿島　どちらも古い街だから、住人は保守的ですね。そこに外国人がやってくると、まるで干渉されないから気持ちよくて、なんて解放的な街なんだろうと思う。僕がパリでいちばん魅力を感じるのもあの解放感です。ガートルード・スタインも、他人に介入しないところがいいと言ってる。外国から来た人はその自由の中でけっきょく自分に回帰して、自分を発見する。でもパリの孤独もまたすごくて、リルケが書いているけれど、安ホテルに泊ると、他の街なら孤独は胸のあたりまでで止まるけれど、パリだとそこを抜けてドンッと落っこちていく。だから9月にパリにやってくる留学生は、暖房もまだ入らない寒い季節に、言葉も通じなくて、どんどん鬱になっていく。パリ症候群って言われてますね。

原田　ただ社会保障制度はものすごく手厚いですよね。

鹿島　そうそう。僕の留学仲間で、子連れで国費で留学した人がいたんだけど、申告したら子供手当が出たって喜んでました。子供を産むには最適な環境です。もし未婚の母になりそうな人がいたら、僕はすぐにフランスに渡ることを勧めますね。

（２０１５年８月13日　東京・NOEMA images STUDIOにて）

【インタビューを終えて】

『楽園のカンヴァス』を書き始めるとき、多くの資料を参考にしたのだが、鹿島茂さんのご著書はどれほど役に立ったことだろう。「僕は『19世紀屋』だから」と自称される通り、19世紀のパリの文化、風俗について語れば、おそらく鹿島さんの右に出る者はいないのではないか。フランス19世紀への惜しみない愛情と固執は、ご著書の中でも、実際にお会いしても、まったく等しく情熱的だった。いつまでもその熱弁に耳を傾けていたかった。

鹿島茂

槇文彦

まき・ふみひこ　建築家

1928年、東京生まれ。1952年、東京大学卒業。ハーバード大学大学院修士課程修了。アメリカの建築事務所に勤務、大学で教鞭を執る。1965年、東京に槇総合計画事務所を設立。1979〜89年、東京大学教授。1989年、紫綬褒章受章。1993年、プリツカー賞受賞。1999年、高松宮殿下記念世界文化賞受賞。2001年、日本建築学会大賞受賞。2013年、日本芸術院賞受賞、文化功労者。

原田　一昨年、先生が出されたご著書『漂うモダニズム』には、感動的なフレーズがたくさんありました。槇先生は長い時間をかけて都市を俯瞰し、日本の都市にコミットしてこられた。まずは建築というものに目覚めた頃のお話をうかがいたいのですが。

槇　私が子供の頃の東京の家はたいてい木造。緑は今より多く、商店街はだいたいすこしくすんだ茶色で、白い家はほとんどありませんでした。自宅はたまたま白い家でしたが。7歳頃、目黒の長者丸（現在の品川区上大崎）の建築家・土浦亀城（かめき）さんのご自宅に連れて行ってもらったことがあります。それが初めて見たモダン建築で、強く記憶に残っています。また通っていた慶應義塾幼稚舎が谷口吉郎先生の設計で、当時、東洋一の小学校と言われていました。中二階吹き抜けのメザニンと呼ばれる空間があって、非常におもしろかった。テラスの床にガラスブロックが嵌めこまれていたり、クローバー型の机のある理科室があったり。それから子供時代に帝国ホテルに行く機会があって、秘密めいた空間だと感じていました。そのあたりが近代建築との出会いです。外国から大きな客船が来ると、親に港に連れて行ってもらって甲板を縦走した。そんな、ふつうの家とは違った空間体験も記憶にあります。

戦争中は中学生だったのですが、模型飛行機を作るのが好きで、自分で図面を書いていました。なんとなく航空技師になりたいなんて思っていたら戦争が終わって、もうそういうものは作れなくなってしまった。じゃあ何か別のもの作りをしようと、建築学科に進みました。

米・欧州建築修行

原田　戦後、大空襲で焼け野原になった東京に建築家がコミットしていかねば、みたいな思いはあったのでしょうか。

槇　都市について考えるようになったのは、大学の最後の方に丹下健三先生の研究室にいたことが大きいですね。当時、大学の建築学科ではもっとも都市の問題に関心の高い先生でしたから。ハーバード大学では、ホセ・ルイ・セルトというスペインの建築家の薫陶を受けました。アーバンデザインの中の建築の領域で活躍した人です。当時、日本の第一線で活躍されていた方々には、これからの東京をどうするかという意識はあったと思いますが、私はまだ学生でした。ただ、これからの日本で何か新しいことができそうだと希望を感じていたことは確かです。1960年代にはメタボリズム・グループにも参加しました。

原田　大学を卒業された後にアメリカへ行かれたのはなぜですか？

槇　終戦後は日本もヨーロッパも疲弊していて、これからいろんなことができそうだという国はアメリカぐらいしかなかったんです。ヨーロッパの有名な建築家たちは大戦前にアメリカに来ていました。ハーバード大学の建築学科長はバウハウスを作ったワルター・グロピウスで、彼がアメリカのモダニズム教育の先駆者になっていたし、やはりバウハウスと関係の深いミース・ファン・デル・ローエもイリノイ工科大学にいました。ただ、たとえば丹下先生の広島の平和公園の作品などは、すでに世界に出して恥ずかしくないものでした。だから、あまりアメリカに長くいすぎないで、早く日本で仕事を始めたいと考えました。日本は戦後の建築界の中で、特にアジアでは、特別な場所になりつつあった。丹下先生だけでなく、前川國男さんや吉村順三さんなど、いろんな方が戦後の日本建築を育てられました。私の世代では菊竹清訓（きくたけきよのり）さんや黒川紀章さんがいらして、自分も負けないように東京で仕事をしようと思い、日本に戻ってきました。

原田　それ以前にル・コルビュジエの日本人の3人のお弟子さん（前川國男・坂倉準三・吉阪隆正）などが、ヨーロッパ建築の文化伝統や新しいモダニズムをまるごと輸入した状況があったと思いますが、戦後の日本の建築界はまた、そうした土台の上に新しく形成されていったのでしょうか。

槇　それはありますね。私はアメリカ時代にある財団の基金をもらって2年ほど東南アジアや中近東やヨーロッパの建築を見て回る機会に恵まれました。ル・コルビュジエの作品は全部見てやろうと思って、インドのアーメダバードとチャンディガールへ行き、マルセイユの集合住宅やパリのスイス学生会館、ラ・トゥーレット修道院、ロンシャンの礼拝堂などを見て回り、ご本人にも会うことができました。その他にもイタリア、フランス、北欧ではアルヴァ・アアルトのものなど、建物を実際に見たことは、大きな勉強になりました。

東京は醜い街？

原田　先日、パリに行った時たまたまポンピドゥー・センターでル・コルビュジエ展をやっていて、若い人もたくさん見に来ていました。いまモダニズム建築の見直しみたいなものが世界各地でなされていますね。彼はインターナショナル・スタイルみたいなものを広めたのかな、とも思います。それにしてもパリは19世紀の大改造計画がうまくいったかわかりませんが、街並みが当時のままで、開発をするような余地がない。逆に日本は一種、乱開発めいたところもあると思うんですけど、先生は都市の発達についてはどのようにご覧になっていらっしゃいますか。

槇　東京はもちろん戦災を受けているから、古いものをそのまま残しながらということはあまり考えられない状況でした。それから木造建築が主だった19～20世紀のはじめの東京と、常に石造、組石造の建築だったパリとは全然条件が違います。だからといって、東京は住みにくい街かというと、そんなことはない。パリはナポレオン3世の時代にオスマン知事が、商店や劇場などがシャンゼリゼやコンコルドといった大通りや広場に面して建つように作った。ところが今のように都市が高密度化してきた時にそれが実際に機能しているかというと、そうでもない。東京も密度の高い都市ですが、山手線や中央線などと郊外の鉄道がうまくつながっていて、アクセスが非常に便利です。都市の良し悪しは「美しさ」だけをバロメータにするのではなく、確実にA地点からB地点へ行けるという機能性を考えてもいいですよね。たとえば今のアジアの都市で待ち合わせ時間が確約できる街は実はなかなかありません。ジャカルタなどは公共交通システムが発達していないので、みんな車に依存していて、渋滞にはまると時間が読めない。飛行場からホテルまで、早朝だと30分のところ、夕方には2時間半かかったりします。いったいみんなどうやって通勤しているんだと訊いたら、ある人たちはラッシュアワーを避けて早朝に乗合の車で仕事場へ行き、仕事が始まるまで寝ているのだそうです。自分の家で眠れる時間を犠牲にして、睡眠時間を分けている。果たしてそれが本当にいい生活なのか。つまり、「約束の時間に確実に会えるか」ということを住みやすさの指標の一つにすると、東京は他の都市よりはるかに優れています。そして美しさと便利さというのは必ずしも伴わない。東京の街並みはたしかに乱雑かもしれません。シャンゼリゼは一直線の素晴らしいブルヴァールですが、じゃあ歩いていて、そんなに楽しいでしょうか？

原田　たしかに、乱雑なテナントが入った建物がいっぱい並んでいる（笑）。

槇　ですから、都市にはいろんな見方があるということを、皆さんでもっといろいろ考えてみるのがよいと思います。

原田　日本人は几帳面だとか親切だというイメージを持つ海外の方がいらっしゃいますが、それは「約束ができる都市」の中にあっての性質なんですね。先生はご著書の中で、日本人の建築には優しさを感じると書いていらっしゃいます。包み込む文化、という表現も使っていらっしゃる。

槇　日本には言葉の優しさや自然の優しさがあって、建築の優しさもそこから生まれていると思います。包み込むということで一番特徴があるのは京都です。京都はもともとは中国の都市のシステムである条坊制を継承した街ですが、ふつうそういう都市は城壁に囲まれています。それが京都の場合、南を除く三方が山に囲まれている。当然、外敵の侵入には弱いですけど、周囲の自然と都市の境界には寺社もある。こういう都市は世界的にも例をみない。大きな自然と小さな自然があって、それらに包み込まれるような文化が育まれてきました。

東京は江戸のDNAを受け継いでいますが、明治維新の時はすでに100万人を超える世界でも有数のメトロポリスでした。町人の家、武家屋敷、寺町、そういうものが住み分けしていて、パリのような大区画の整備こそありませんが、明治維新を契機に大きな武家屋敷が細分化されるような方向での変化があったんです。ある意味では、乱雑ともいえる幾何学的なパターンをとりながら、区画の内側に向けて路地ができていった。それはやはり、都市の優しさみたいなものと関係してきます。そして、路地にきめこまかく緑化のようなことがなされていると、目の保養になる。東京はヨーロッパの街並みに比べて醜いと言い続ける外国人もいるし、いや、東京には東京の面白さがあるんだという外国人もいる。同様に、日本人の中にもいろんな考え方があっていいはずです。決まった景観法みたいなものを作って街並みを整えようというのは、ずいぶんとつまらない考え方です。最近、高い建物を建てるための条件緩和策の一つとして広場が設けられることがありますが、はたしてそうして生まれた広場がよい広場かどうかは疑問です。何ごとも一概には言えません。

消費されつくさない空間

原田　東京はここ20年でものすごくドラスティックに変わってきました。でも、先生の作品、ヒルサイドテラスのある代官山のこの一帯は、本当に特別な場所だと思います。長い時間をかけて少しずつ変わってきた稀有な例ですよね。

槇　この一帯がユニークなのは、旧山手通りという道のおかげです。幅が22メートルぐらいあるんですが、ヒルサイドテラスの第一期の工事を始めた1960年代末は建物の高さは10メートル、容積率は150パーセントととても低かった。でも立派な道があるから、お店やレストランが作られていったんですね。緑もじゅうぶん保存できた。建築だけでなく、そうした非常にラッキーな状況があって、空間的にゆとりのある集合体ができました。ヒルサイドテラスは

25年かけてできていますから、その間に東京のライフスタイルもどんどん変わりました。ワンルームマンションが増えた時期、自宅兼事務所のＳＯＨＯというスタイルが現れた時期、そうした生活に応じて住居を作ってきました。ヒルサイドテラスの特徴は、住人も職場にしている人も、わりと自由業の人が多い、ということです。そういうある特別な人種の集まりみたいなものができつつある中で、文化の拠点にもしようとギャラリーや音楽を演奏できる場所、図書室を意図的に作ってきました。昔は先祖代々同じ場所で商いをしたりものを作ったりしたわけですが、近代社会はもっと流動的で、ある出会いの中で同じ場所で生活していこうとする意識を共有してくれる人たちの場所になっていきます。住民が大切に守ってきた街だから、地価も下がりません。変な建物ができそうになると住民が反対するようなこともあります。

原田　代官山の交番のところの歩道橋（２０１9年に撤去）のあたりからこちら側がパシッと違う文化圏になっていますね。見事に旧山手通りのカルチャーが形成されている。蔦屋の建物を含め、ヒルサイドテラス以降に開発されたところがみな、ヒルサイドテラスをリスペクトし、お手本にしている感じがします。ここは１００〜２００年経っても古びないでしょうね。先生のご著書の中に「消費されつくさない空間」という印象的な言葉がありましたけど。

槇　建築は宿命的にその場所にあり続けないといけませんから、できるだけ消費されつくさない場所性や価値を持ち続けることが、大切だと思います。スイスには一定以上のお金がないと建物を建てられない建築法上の厳しい規制があって、いい加減なものを作らせない歯止めにもなっています。ちゃんとしたものを作っておけば、いずれそれが社会資産になるという考え方があるんですね。日本の場合、ちょっとしたお金でバラックでもいいから建てたい、というようなケースが多すぎる。

これからの建築

原田　最近若い人たちの間で、リノベーションがブームになっています。積極的に地方に戻ったり、見捨てられた古民家を再生して住んだり、お店をやってみたり。今後の若い人たちはこれまでとは違ったライフスタイルを持つ可能性もあるかもしれないと期待したいところです。

槇　いい傾向だと思います。何かを壊して新しいものを作るだけじゃなく、潜在的な価値を新たに作り出してゆくこと。建築というのはわりあい昔から若い人の興味を惹くジャンルで、それは今も変わりません。ただ、今は建築の勉強をした若い人たちが社会に出て夢がかなえられる状況にあるかというと、そうではない。でも、たとえば国際コンペで一等賞を獲ろうというのではなく、小さなことでもコミュニティのために役に立とうと思う人たちが増えてくればいいなと思います。彼らを温かく見守ってゆくことが必要だし、大学の教育もそういう方向にシフトしていくことが大事じゃないでしょうか。

　夢というものは外からの力で消えるようなものではなくて、自分の内的な世界で自由に作れるものなんです。外的な条件に左右されないで、また「信念」などと言ってあまり自己拘束しないで、自分の夢をもうすこし自由に育てたり、変えてみたりしていけばいいと思いますね。

原田　ご本人を前にして言うのは少々照れくさいのですが、槇先生の建築、文章、お話、そしてお人柄にも共通していると感じられるのが「気品」です。それこそ日本人がもともと持っていたものだと思うんです。日本ではこれまでブルータリズムというか、どーんと野性的で大きな面白い建築が作られてきた時代もありましたが、それとは違う。これからの若い人たちの教科書は、槇先生の建築だと思います。最後に、最近のお仕事についてお聞きできますか。

槇　昨年トロントに竣工したアガ・カーン美術館は、北米で初めてのイスラム美術系の美術館です。アガ・カーンさんはイスマイリというイスラム宗派の宗主で、建築に非常に詳しく、設計を始める前に5ページにもわたるレターをくださいました。それから、中国の深圳に文化センターを、インドのパトナにはビハール州立美術館を作っているところです。東京・旧安田庭園の刀剣博物館は2年後ぐらいに竣工予定です。

原田　アガ・カーン美術館の写真を見ていたら、トロントへ行きたくなってきました！

（2015年8月27日　東京・槇総合計画事務所にて）

【インタビューを終えて】

かつてル・コルビュジエについて研究していたこともあって、槇文彦さんの著作を数多く読んだ。その文章は淡麗で、きりりとした品性に溢れている。難解すぎず、甘すぎず、まるで槇さんの建築そのもののような文章に深く感動した。ご本人もまた、まさしく自作そのもののようなエレガントな方であった。建築家を目指す若者たちには、まず槇文彦の建築を見てほしい。そして著作を読んでほしい。日本の建築家のあるべき姿がそこにある。

ドナルド・キーン

Donald Keene

日本文学・文化研究者／文芸評論家

1922年、アメリカ・ニューヨーク生まれ。1938年、16歳でコロンビア大学に入学。1943年、海軍語学将校としてハワイに派遣される。1953年、京都大学大学院に留学。2年後に帰国し、コロンビア大学で教鞭を執る。1971年、東京に居を構えた後は、1年の半分を日本で過ごす。2002年、文化功労者。2008年、文化勲章受章。2012年3月、日本国籍を取得。2013年、新潟にドナルド・キーン・センター柏崎を開館。2019年、没。

原田　たいへんお恥ずかしいのですが、私、先生に憧れるあまり、自分の小説に先生をモデルにした人物を登場させたことがあるのです。『太陽の棘』という実話に基づいた小説で、舞台は太平洋戦争直後の沖縄。サンフランシスコから沖縄の基地に派遣されたアメリカ人精神科医と、沖縄のアーティストたちの交流を描いたんです。主人公のドクターの友人に日本文学が大好きな青年将校が出てきます。まことに勝手ながら、先生をこの青年将校のモデルにさせていただきました。10代の時に『源氏物語』に出会って日本語を勉強し、憧れの日本にやってきたという設定です。あ、長々とすみません。先生をモデルにした登場人物を描いたことをお伝えしたくて。先生のご著書はいろいろ読ませていただきましたが、初めて『源氏物語』に出会ったのが18歳の時ですよね。

『源氏物語』との出会い

キーン　ニューヨークの本屋さんで見つけたんです。もちろん英訳でした。アーサー・ウエーリによるものです。
原田　当時は日本という国や平安時代などにはまだお詳しくなかった？
キーン　もちろん何も知りませんでした。『源氏物語』を読んだときは驚くことも多かったけれど、すぐに好きになりました。当時、ヨーロッパではすでに戦争が始まっていて、新聞を読むのが非常に辛かった。ナチス・ドイツがどこまで侵攻したとか、フランスの町がドイツに取られたとか、そんな記事ばかり。『源氏物語』には戦争はありません。もちろん描かれているのは愛情だけではなく、嫌な人物も登場しますが、何よりも「美」というものが大切にされている。それはただ住まいや着物が綺麗だというようなことだけでなく、詩歌が重要視されていて、理想的な世界だと思いました。その頃のアメリカの教育では、文学はギリシャで生まれたもので、その後にローマ時代があって、と習いましたから、日本に文学というものがあることさえ知らなかった。読み終わって、じつは光源氏が亡くなった後の物語もあることを知ったのは、その翌年だったでしょうか。とても嬉しかったです。

原田　今の子供が『ハリー・ポッター』の続編にワクワクするみたいに。

キーン　はい。そしてその翌年に海軍の日本語学校に入りました。そこでテキサス州から来た人と知り合ったのですが、彼も『源氏物語』を読んでいて、すぐに友達になりました。ウエーリによる英訳本の初版は3000部で半分はイギリスで配本されましたから、アメリカにあったのは1500部です。

原田　その1500分の2を、先生とその方が持っていらしたというのは、すごい偶然ですね。行ったこともない日本という国の文学が、友情を連れてきた！

キーン　そうでした。私は誰かに聞いてちゃんと「ゲンジ」と読んでいましたが、彼は「ジェンジ」と読んでいましたね。

原田　1000年前にラブロマンスが書かれた国があったということには、驚かれましたか？

キーン　私は学生時代にギリシャ語をやっていました。ギリシャの古典に出てくる話には、たとえばエディプス・コンプレックスの『オイディプス王』など、現代社会にも当てはめられる物語がある。『源氏物語』の場合は、女性の歯を黒く塗るとか、男女がお互いの顔を見ることなく歌や文のやりとりだけで愛し合うなどということが、最初はとても不思議でした。やっとのことで顔を見ると、末摘花（すえつむはな）のように、がっかりすることもあったりして（笑）。ただ、そうした違和感は、すぐに乗り越えられました。たとえば紫上（むらさきのうえ）には子供ができない、源氏は別の女性との間に子供を作る。そんな時の紫上の辛い気持ちなどは非常に深く感じられたのです。着物や花の描写も美しいですが、『源氏物語』で一番深く描かれているのは、人間です。実は私の中学校のクラスには日本人の女性がひとりいましたが、あの時代は男の子が女の子と話をするようなことはなかった。卒業式の日に卒業証書を渡すために、先生がひとりずつ名前を呼びました。その時に彼女の苗字と名前が逆さまに呼ばれたので、私たちは彼女のことを気の毒に思いました。後でわかったことですが、日本では苗字と名前の順番が逆だということさえ、知らなかったのです。

原田　先生の日本人との出会いは現実の日本人ではなく、紫上や末摘花だったのですね。私は今、毎月京都に通って冷泉家で和歌を学んでいるのですが、そこで教えていただく古典和歌の中の大和言葉には、非常にさまざまなニュアンスがあります。

キーン　日本語には英訳できない言葉がたくさんあります。簡単な例で言うと「もったいない」。だから私と同じように日本語を話す外国人との会話では、こうした言葉は日本語で話します。

原田　私が最近、これは英訳できないと思った言葉のひとつに「ご縁」があります。

キーン　たしかに、イコールな英語の単語はありませんね。現代の日本語においてさえそうですから、『源氏物語』には英訳できない言葉がもっとあるでしょう。でも翻訳は原作を裏切るわけにはいかないので、なるべく近い訳を考えるのです。そもそも翻訳がなければ私は『源氏物語』が読めなかったし、今でもロシア文学も聖書も読めないはず。だから翻訳はどうしても必要です。最近また新しい『源氏物語』の英訳が出ました。デニス・ウォシュバーンというアメリカ人が訳した、4度目の英訳です。ウエーリの翻訳はもう80年以上売られ続けているのに、未だに新しい翻訳が出るということは、それだけ世界中のたくさんの人が読みたいと考えているんですね。

原田　最初はわずか3000部だったのに(笑)。

戦後の日本文学

原田　ところで、おこがましくも全日本の作家を代表して言わせていただくと、先生がいらっしゃらなければ、日本人の文学は世界に伝わらなかったと思うんです。私の愛する川端康成も三島由紀夫も谷崎潤一郎も、先生が世界に届けてくださった。そして、翻訳の力はすごい。優れた翻訳者の方は、小説そのものを理解することも大切ですけれど、語学ができるかどうかではなく文化的な背景や作家の心情を深く読み解いていらっしゃると思います。

キーン　私の仕事をそのように言っていただけるのは、たいへん嬉しいです。私が日本に留学した頃は日本の文学が盛んな時期だったので、私は幸運でした。日本文学の素晴らしい時代を三つ選べと言われたら、平安時代、元禄時代、そして戦後が挙げられると思います。戦後の同時期に、谷崎も川端も永井荷風も志賀直哉も、みな新作を発表していました。すこし前に太宰治は亡くなっていましたが、三島由紀夫が出てきました。そんな時代はちょっと他にはないです。それから、私のように外国人で日本語で日本文学の話をする人が、当時は少なかった。だから客嫌いの谷崎潤一郎先生が私を呼んだんです。私が京大に留学している時期に、谷崎先生の京都のお宅にうかがう機会がありました。先生は私の二つの本のために序文も書いてくださった。私は非常に幸せでした。もし戦争の10年前だったら、あるいはもっと後だったら、ありえなかったでしょう。今はたくさんの外国人が日本文学の勉強をしていますから、そういう人たちがたとえば大江健三郎さんに会いたいと思っても、そう簡単には会えません。私は当時、非常に珍しかったんです。日本語を話すことのできる馬とか犬みたいな存在だったんじゃないでしょうか（笑）。

原田　その時代の作家の方々の作品は、今読んでもまったく古びていないし、きっと英語や他の言語で読んでも、そうなのだと思います。ただ今は時代が変わってきて、パソコンや携帯電話を持っていれば、ツイッターやフェイスブックをとおして、誰でもどこでも自分の言いたいことをメッセージとして発信することができる。表現する手段がたくさんあるため、あまりに簡単に発表してしまっている気がします。ある種の覚悟や決意を持って書くような、大きな意味での小説家があまりいないように思うのです。今の若い人たちの状況を、先生はどうとらえていらっしゃいますか。

キーン　正直申しますと、若い方々の小説はあまり読んでいないんです。嫌いだからではありません。私はもう3年以上、ずっと石川啄木だけを読んできました。全集で日記を中心に読みましたが、文字が小さくて本当に大変でした。それでも普通の小説を読むより啄木の日記を読むほうが、私には大事だった。毎月文芸雑誌をいただくし、毎日、知らない方の歌集や句集や詩集も届きますが、とても読むことができません。

原田 先生は啄木のどの部分に魅力を感じていらっしゃるんですか。

キーン たいへん不思議な人です。彼を形容する一番適当な言葉はおそらく「天才」でしょう。ただし素晴らしい天才的な詩を書いても、周囲の人たちにとってはまるで悪魔のような人でした。お金を借りても返すことがない。それでも人が彼にはお金を貸したんですね。お金がないために煙草ひとつ買うことができなかったり、電車代がないので仕事場に行けなかったりもしました。でも彼はおそらく当時一番文学を読んでいた人だったでしょう。中学を卒業していませんが、何の困難もなしに文語体で無数の詩を書きました。英語を勉強して英詩も読んでいます。実際のところ、私は彼に会わなくてよかったと思いますけどね（笑）。

原田 お金を貸してほしいと言われたかもしれませんね（笑）。

大好きな京都と東京の日々

原田 すこしお話を変えさせていただきますが、先ほど申しあげたように、私もよく京都へ行きます。先生は京都の長い歴史の中で、特に足利義政について書いていらっしゃいますが、義政にご興味を持たれたのはなぜですか？

キーン 足利義政は美術に深い関心があり、絵だけではなく書も、また茶の湯に関係するやきものも、そうしたものすべてを彼の生活の周囲に集めました。それが大名に伝わり、大名から一般の人へ伝わって京都の文化が形成されていったと私は考えているのです。
　山に囲まれ大きな川も流れている京都は美しく、日本の美術にふさわしい町です。私は本当に京都を愛していました。京都で見る月も他の町で見る月も同じはずなのに、京都の月は違って見える。陶器屋さんや骨董屋さんが並んでいる通りや、昔あった竹細工屋さんの通りも好きでした。そんなわけで、たとえば京都の町を歩いていて「京都新聞」の看板を見つけ、そこに「京都」という文字を認めただけで、私はいま京都にいるんだと実感して嬉しくなったことを覚えています（笑）。食べ物も好きでした。留学時代は京都の下宿で三食とも京都の料理を食べていました。東京に来た時に、東京の料理はまずいと思いました。特にうどんは、ヨードチンキを入れたんじゃないかと思うぐらい真っ黒！　今も新幹線の窓から東寺の塔が見えてくると、特別な感慨があります。冬の京都は寒いですが、観光客が少ないのがいいです。三十三間堂へ行っても、人っこひとりいない。

原田　川端康成の『古都』のラストシーンも、冬の京都で終わっていますね。川端も京都は冬がいいと言って、画家の東山魁夷に描くよう勧めたそうです。連作が残っています。今は東京で毎日、どのように暮らしていらっしゃいますか。

キーン　主に仕事――読んだり書いたりしています。時々、音楽会やオペラに出かけたり。うちの近所には無量寺という小さなお寺があって時々散歩をしますが、庭にはいつも何かしら花が咲いています。このあたりは緑が多いし観光客が来ないのがいい。41年前からここに住んでいますけど、ここから動きたくない。

原田　先生が日本国籍を取られてからもう3年半。東日本大震災の後の、すばらしいご決断だったと思います。

キーン　私はいま93歳ですけど、これまででもっとも幸福を感じているのが、現在です。日本で暮らせることが嬉しいし、数年前に養子を迎えましたが、非常に話が合うので楽しい。生まれ故郷のニューヨークにはもう住まいはないし、友人もほとんど亡くなってしまいました。私は東京人です。このあたりには小さな店がたくさん残っていて、よく行く鶏肉のお店があるのですが、そこのおばあさんはいつも私たちのために安くしてくれます。お金を負けてもらったことではなく、その気持ちがとても嬉しいです。

日本の日記文学

原田　先生のご著書を拝読してぜひうかがいたかったのですが、日本文学研究に取り組むきっかけとなったのが、日本兵の日記を読んだことだったんですよね。

キーン　ハワイの海軍基地に勤務した時、翻訳するようにと言われる文書はみな無味乾燥な書類でつまらないものばかりでした。でも私はある日、他の人が避けている大きな箱を見つけました。死んだ日本兵の日記帖がいくつも入っていたんです。血痕の嫌なにおいがしましたが、私は血痕のないものを選んで読み始めました。日記では、最初は愛国的なことを言っています。当然です。輸送船に乗って、隣の船がアメリカの潜水艦に攻撃されると怖がります。どこかの島に着いた、とても綺麗だけれど食べるものも水もない、マラリアが怖い、そしてまた朝にはアメリカの爆撃機が来る——私は日記を書いた人に同情しました。その後、平安時代の紫式部や和泉式部の日記を読みました。松尾芭蕉の『おくのほそ道』も読みました。そして日本には日記文学というものがあると気付きました。外国の百科事典には載っていないジャンルです。日本の兵隊はみな元旦に日記をもらって、それに書くように言われたんですね。日本には日記の伝統があったのでしょう。また、外国人には日本語は読めないから大丈夫だと思ったのかもしれません。

原田　先生は日記は書いていらっしゃらないのですか？

キーン　一度だけ、9歳の時に父の仕事について一緒にヨーロッパに行った時に日記をつけました。ただ、日本に引っ越した時に紛失してしまいました。残念です。それ以外は書いていません。自分で言うのは恥ずかしいのですが、私はずっと記憶力に自信があったので、日記をつける必要性を感じなかったのです。最近は忘れることも覚えましたけど。

原田　先生が私たちの文化、私たちの誇りを翻訳してくださったおかげで、世界中の人たちが日本の文学に親しめるのはすばらしいこと。日本人を代表して、ありがとうございますと言いたいです。

キーン　世界の文学の状況は大きく変わってきていて、今は日本の文学なくしては世界の文学は語れないような状況になっています。このあいだイタリアへ行った時、ヴェネツィア大学で日本語を勉強しているのは2000人と聞きましたよ。英訳されなくても、先にイタリア語やフランス語に翻訳される日本の文学もありますね。

原田　最後の質問ですが、先生の夢を教えていただけますか。

キーン　夢……そうですね、できるだけ健康でありたい、ボケたくない、何かもう1冊本を書きたい、ですね。

原田　私は先生の9歳の時の日記が出てきて、それを読むことができる日を、楽しみにお待ちします。今日はどうもありがとうございました。

（２０１５年12月17日　東京北区のドナルド・キーン氏自宅にて）

【インタビューを終えて】

なんて上品でチャーミングな方だろう！　お会いするまでは、まるで『源氏物語』の中に登場する「やんごとなき御方」に会うかのごとく緊張していたのだが、とても気さくであたたかなお人柄にいつしか心がほどけていった。先生の向こう側に、谷崎が、三島が、川端が見える。憧れの文豪たちが先生を通して語りかけてくれるような錯覚を覚えた。日本を愛し、日本の文学に生涯を捧げたまっすぐな人。その背中を追いかけていきたい。まっすぐに。

蓑豊

みの・ゆたか

兵庫県立美術館館長

1941年、石川生まれ。1965年、慶應義塾大学卒業。1969年、カナダのロイヤルオンタリオ博物館で学芸員を務める。1976年以降、モントリオール美術館東洋部長、米インディアナポリス美術館東洋部長、シカゴ美術館東洋部長などを歴任。1977年、ハーバード大学大学院文学博士号取得。1996～2007年、大阪市立美術館館長。2004～07年、金沢21世紀美術館館長。2007～10年、サザビーズ北米本社副会長を経て、2010年より兵庫県立美術館館長。

原田　じつは私、作家になる前に蓑館長にお会いしたことがあるんです。インディペンデント・キュレーターをやっていた時代で、「原田マハ」になる前でしたが、当時、金沢21世紀美術館にいらした蓑館長を、展覧会の企画のご相談でお訪ねしました。私はその頃から蓑館長を、東西の架け橋のような役割をされた方として尊敬していたんです。今日はそんな館長の大河のような人生の一滴をお伺いしたいのですが、アートに興味を持たれたきっかけは？

蓑　19世紀のフランスの画家、クールベの絵との出会いですね。中学校1年生の時です。僕は金沢生まれだけれど、育ったのは湘南の二宮。父が東京で古美術商をやっていたのですが、僕自身は中学生までは湘南の海の近くに暮らしていたんです。学校の遠足で東京国立博物館へ行きました。当時、国立西洋美術館はまだなかったから、「フランス美術展」（ルーヴル美術館の所蔵品展）は東博に来たんです。そこで見たクールベの《追われる鹿》という作品にすごく惹かれた。今はオルセー美術館に収蔵されている絵です。

原田　12歳の蓑少年にとって、そのクールベはどのように見えたんですか？

蓑　ものすごくリアルだったんだよね。今にも動き出しそうで、写真のよう。すごいなと思って、調べるのが大好きだったから、画集をめくったりして、クールベについて調べました。

原田　お父さまが扱っていらしたのは、日本美術ですか？

蓑　そうです。お茶道具。僕は3人兄弟の2番目なんだけれど、美術に興味を示したのは僕だけだったから、父は仕事先にもいろいろ連れて行ってくれました。小さい頃から政界・財界のすごい人が家に出入りしていて、偉い人に会っても動揺することがありませんでした。服部時計店（現・セイコーグループ）の服部正次（しょうじ）さんとか、「電力王」「電力の鬼」と言われた松永安左（やすざ）

エ門さんとか。

海外への憧れ

蓑　少年時代は地理が好きで地名や駅名は全部覚えていて、学校では地理は100点以外取ったことなかった。今とは違って、当時の記憶力はすごかったんだね。とにかく地図を見ながら想像を膨らませるのが好きでした。そのうち母が『世界旅行』という2冊組の図鑑を買ってくれた。世界中の有名な場所の写真が載っていて、次第に早く世界を見たい、日本を出たいという気持ちが高まっていったんです。結局、僕は日本を出て長く帰ってこなくなってしまったから、母は僕にあの図鑑を買い与えたことを死ぬまで後悔していた（笑）。

最初に海外へ出たのは、大学3年生の時のエジプトでの発掘調査です。陶磁器研究の第一人者・小山冨士夫さんがエジプトに調査に行かれると聞いたので、父から小山さんに紹介してもらい、お金はいらないから一緒に連れて行ってほしいとご自宅まで頼みこみに行きました。ちょうど定期試験の時期で、試験を受けないと落第しちゃうところだったんだけど、僕は授業を取っていた先生たちの家を訪問して、それぞれの先生に、すごく大事なことなのでぜひ行かせてほしいとお願いした。そうしたら試験を受けなかったのにみんなAをくれました（笑）。発掘調査の地はエジプトの古都フスタート。東洋のポンペイとも言われる遺跡でした。小山さんはそこから発掘される山のような陶片の中でも、中国の陶磁器を調べておられました。僕は小山さんのお弟子さんで、後に東京国立博物館の次長になられた長谷部楽爾さんと4ヶ月同じ部屋に寝泊まり。市場に行って軍手をいっぱい買ってきて、二人で陶片の山の中から中国陶磁器を探し出して小山さんに持ってゆくのが仕事で、軍手はすぐに真っ黒になりました。

その発掘には出光興産が出資していたんだけれど、調査の終盤で小山さんが出光に電報を打って、蓑くんはよくやってくれたからって500ドルくれたんですよ。そのお金で発掘調査の後にヨーロッパやアメリカを回ることができたんです。その時に行ったワシントンのフリーア美術館で働きたいと思ったのですが、大学を卒業する時に美術史家の矢代幸雄先生に、日本でもうちょっと東洋美術の勉強をしてからの方がいいと言われ、踏みとどまりました。

原田　卒業後に禅寺へ入られたとか？

蓑　最終的に父親の仕事を継ぐのだとしたら、その前に修行しておいた方がよいだろうと、自分から禅寺に入ったのです。岐阜県の山奥にあるお寺で、毎日早朝から掃き掃除。掃除の最後の方にはつらくてちょっとだけサボろうという考えも頭をよぎりましたが、最後の1パーセントをサボったためそれまでの99パーセントの努力が水の泡になるのはもったいなさすぎると、最後まで頑張りました。こういうことは学校では教えてもらえない。非常にいい体験をしたと思っています。

原田　その後、東洋美術のお勉強はどちらで？

蓑　日本橋の「壺中居(こちゅうきょ)」という中国・韓国陶磁器専門のお店のご主人・廣田熙(ひろたひろし)さんが、大学院に入ったつもりで働いてもいいよと言ってくださり、3年半住み込みで働きました。そのうちトロントのロイヤルオンタリオ博物館から小山さんのところに中国陶磁器のわかる人を紹介してくれという手紙が来て、僕が行くことになった。英語もなにもできなかったけれどどうしても行きたくて、親父に言うと怒られそうだから、ちょっと行ってくるから、という感じで、横浜港からアメリカへ渡ったんです。その直後に小山さんからは学者になるまで帰ってくるなという電報が届きました。

原田　スパルタな送り出し方ですね。

アメリカへ渡って

蓑　トロントでキュレーターとして2年間仕事し、さらにハーバード大学の大学院で勉強をし直しましたけど、最初は大変でした。大学の授業で4科目が必修だったんだけれど、英語力のない状態で4科目をこなすのは、自殺ものです。だから教授に相談して、まず1科目、次に2科目と、取る授業を順に増やしていったんです。それで最初の1科目では最高の論文を書こうと思った。

原田　その時の自分のキャパシティをよくわかっていらして、教授と交渉されたのはすごいですよね。普通に生真面目な学生さんだと、与えられたとおりにやらなければならないと思って、その時点で諦めちゃう人もいると思うんです。でも蓑館長の場合はご自身のキャパシティに応じて、交渉しようというワンアクションを取られる、それがものすごくユニークだと思います。人生を分けた大学の先生との交渉もそうですけど（笑）。

蓑　僕は勉強が好きなわけではないけど、調べるのは好きなんです。今はインターネットでなんでもすぐにわかってしまうけれど、当時はそんなものはなくて、大変でした。研究を発表する時も意地悪な質問ばかりされるしね。でも書庫の中に入ってあらゆる本を調べられるのは本当に楽しかった。僕はいったん働いてから大学院に入ったから、30歳の頃に本当に調べることの喜びを味わいましたね。今の若い人にも知ってほしいです。インターネットであまりに早く情報が手に入るのは、面白くない。

原田　新聞だと、広げた時に自分の興味がある記事以外の活字も視野に入ってくる。紙文化の面白いところだと思います。

蓑　あの頃のハーバードでは大学院生には図書館の鍵をくれたので、24時間入れたんですよ。僕はよく図書館の机の上で寝てました。勉強が、苦しいんだけれど楽しい。それを今の若い人にも知ってほしいですね。そしてもっと世界を知ってほしい。外に出ないことには自分の国の素晴らしさだってわからない。世界中の人たちと個人的につきあえるようになれば、世界平和にもつながるでしょう。

原田　いま館長とお話ししていてふと思い出したんですけど、私、2001年の9・11の後にニューヨークに行っていろんなアーティストに取材したことがあって、その時に現代美術作家のビル・ヴィオラに会ったんです。当時のアメリカはアフガニスタンを攻撃するとかフセインをやっつけるとかいうような時期でしたが、彼から聞いた話では、ヴィオラはアメリカの政治家はあまりに想像力が欠如していると言ってました。アメリカでは少なくない数の議員がパスポートを持っていないとか。つまりそれぐらい外国に行ったことがないのだそうです。世界にはいろんな民族がいていろんな文化があって、いろんなことを考えている人がいるという多様性をまったく理解していない。想像力が欠如しているから、アタックされたらやり返す、空爆することしか考えられないんだって、すごく怒っていました。それに対して、アートという言葉、表現手段があれば、世界中に出て行ってコミュニケーションをとって、この世には多様性があるのだということを理解できる。今の若い人たちがインターネットだけで世界を見たつもりになっているとしたら、それはとても危険だと思います。

本物に触れる

蓑　僕がアメリカのいくつかの美術館で東洋部長をやっていた時は、展覧会の中身を作るだけじゃなく、それを開催するためのお金を集めることも仕事でした。でもただお金をくれと言ったってお金は集まらない。人間関係を構築できなければなりません。映画を見たり、本を読んだり、いい音楽を聴いたり、野球を見たり、もちろん新聞も読む。ありとあらゆることに興味を持っていないと、お金を出してくれる人と仲良くなれないわけです。そういう人材を育てる教育が日本ではできていないように思います。

原田　いいサジェスチョンができる大人も少ないような気がします。私はアート小説をいろいろ書いてきましたけど、いつも思っているのは、それは答えじゃなくて一つの提案だということ。私の本を読んで興味を持ってくれたら、自分の足で美術館に行ってほしい。答えはたぶん美術館にあって、自分で見つけるもの。絵はインターネットで見るんじゃなくて、実物を空間ごと見てもらいたいし、映画も動画サイトじゃなくて映画館で見て、その映画館の空気も含めて身体で体験してもらいたいですよね。

蓑　CDを聴くのもいいけど、本物のコンサートを聴いてほしいね。ただすべての親が子どもを連れて行けるわけではないから、学校がコンサートや美術館に連れて行った方がいい。今の日本ではそのあたりの予算がどんどん削られていってるのが残念です。子どもの頃に美術館に連れて行ってもらった人は親になってから自分の子どもを美術館に連れて行く、これは統計的にもわかっていることです。僕は旭山動物園の園長だった小菅正夫さんと対談したことがあるんだけど、小菅さんは、人は人生のうち少なくとも2回は動物園に行くと言うんです。最初は子どもの時で、2回目は自分の子どもができた時。僕はそれを美術館でも実現したい。

原田　館長はアメリカの美術館で長くお仕事をされたわけですけど、教育・啓蒙という点については日本の美術館とはかなり違いますか？

蓑　アメリカの美術館は元々が教育を目的として作られています。だからシカゴ美術館やミネアポリス美術館などの英語名は「ミュージアム」ではなく、「インスティテュート」です。大きな美術館はだいたい美術大学や美術学校を併設している。逆にメジャーな大学にはだいたい美術館がある。日本の場合は美術館が博覧会場として始まっているから、どうしても啓蒙的な側面が弱い。アメリカの子どもたちは別に美術だけを勉強するために美術館に行くわけじゃない。他国の文化を知るためとか、語学の勉強に使うこともある。

原田　兵庫県立美術館には県と連動して県下の学校の生徒さんを受け入れるようなプログラムはあるんですか？

蓑　金沢21世紀美術館には金沢市内の小学4年生全員が団体バスで来るよう予算をつけてもらって実現したんですけど、兵庫県は広いから、そこまではできない。でも僕は今、美術作品を持って学校を訪ねる「出前企画」を提唱しています。本物を見ると違うから。完品の土器じゃなくてもいいから、これが4000年前にこの土地から出てきたものなんだというような本物を見たら、やっぱり感動すると思うんです。

原田　金沢21世紀美術館は本当に子どもの来館者が多い美術館ですよね。

蓑　金沢の子どもたちが自分たちの美術館だと、誇りに思っています。親にねだってやってきますから。そもそもこれまでの日本の美術館は、保存が大切だからと刑務所みたいな建物だったでしょう。金沢21世紀美術館はガラス張りだけど、その方が誰からも見えてかえってセキュリティがいい。監視員には滝沢直己さんの明るいユニフォームを着てもらって、託児室も作った。日本の地方美術館では唯一、来館者が年間100万人を超える美術館になりました。

原田　館長は自分がこうなりたいとか、ものごとをこうしたいというイマジネーションが強い。しかも想像にとどまらず、アクションを起こされるのが、本当にすごいですね。

蓑　夢は誰でも持てるけれど、本当はビジョンを持たないとダメです。僕は2007年に金沢21世紀美術館の館長を辞めて3年間サザビーズに勤めて、その後この兵庫県立美術館に来ました。その間に、日本の「具体」がだんだんと世界の注目を集めるようになり、2013年にはニューヨークのグッゲンハイム美術館で「具体」展が開催されました。白髪一雄をはじめ、今、「具体」の作家の評価が、世界的にどんどん高くなってきています。そして、今世界で一番いい「具体」の作品を持っているのがじつはこの兵庫県立美術館なんです。元は山村R&D（現・山村製壜所）という会社を経営していた山村徳太郎さんという方のコレクションでした。僕は東京オリンピック開催の年に当館のこのコレクションを展示したい。その後、世界巡回ツアーもやりたいと考えています。

原田　館長のお話はアート愛にあふれていますね。人を突き動かすのになにより強いものは、本当に好きだという気持ちだと思います。

蓑　感性って、すごく大事なんです。ノーベル賞をもらうような人はみんな、ある専門分野において優れているだけではなく、感性が豊かだからあのレベルまでいっていると僕は思っています。アーティストにならなくても、アートを始め文化によって養われる感性は、目に見えないところで役に立っていると、僕は信じています。

（2016年1月13日　兵庫県立美術館館長室にて）

【インタビューを終えて】

蓑館長にお目にかかると、その後すぐにサンキュー・カードが届く。世界各地の美術館で買ったモランディやモネのポストカードに「お目にかかれて嬉しかった」とメッセージが添えられて。少年時代からずっとアートとともに生きてこられた蓑館長にとって、アートは何よりも親しみを覚える存在。お話しするたびにアートへの深い見識と愛情をお持ちなのだとしみじみ伝わってくる。次はどんなカードが届くのだろう。再会が待ちどおしい。

池田理代子

いけだ・りよこ

漫画家／声楽家

1947年、大阪生まれ。1966年、自作の漫画を出版社に持ち込み、貸本屋向けの出版社で修業。1967年、「バラ屋敷の少女」で漫画家デビュー。1972年、「ベルサイユのばら」連載開始。1980年、日本漫画家協会賞優秀賞受賞。1999年、東京音楽大学声楽科を卒業。2009年、フランスのレジオン・ドヌール勲章シュヴァリエを受章。2017年、デビュー50周年記念展が全国を巡回。

原田　初めまして。私は史実をベースにしたアートにまつわる小説をこれまでいくつか書いてきたのですが、あらためて振り返ってみると、9～11歳の頃にリアルタイムで読んでいた「ベルサイユのばら」に大きな影響を受けたのだと思います。池田先生のおかげで今、小説が書けています。本当にありがとうございます。さっそくですが、「ベルばら」を描かれることになったプロセスを教えていただけますか？　少女時代から絵を描くことがお好きだったのでしょうか。

池田　絵よりむしろ文章を書くのが好きでした。中学生の時はノートに小説を書いて、毎週1回、クラスで回し読みしていましたね。

原田　私も同じことをしていました（笑）。

ツヴァイクとの出会い

池田　小説は文芸雑誌などに投稿し続けましたけど、一番よくても選外佳作止まりでした。それで自分は小説家としての才能はないのだと思いましたが、何らかのクリエイティヴな仕事に就くのだろうとは漠然と感じていました。高校2年生、16歳の時にシュテファン・ツヴァイクの『マリー・アントワネット』に出会ったことは大きかったです。読み終わった時点で既に「ベルサイユのばら」というタイトルはできていました。自分が映画監督になるのか小説家になるのかわからなかったけれど、とにかくタイトルはこれでいこうと決めたのです。

原田　その他にも影響を受けたアーティストや作品はありましたか？

池田　子供の頃は、子供用に書かれた『平家物語』が好きでした。『平家物語』は日本人の精神そのもの。弟が大学で中世日本文学を教えているのですが、ここ10年以上、『平家物語』好きが集まって、弟に講義してもらって、原文で読んでいるのですよ。

原田　ツヴァイクの『マリー・アントワネット』で一番心をつかまれた点は？

池田　あれだけ無邪気で愚かなお姫様が、逆境の中に投げ込まれてから、本来持っていた自分のよさを発揮していく過程に、とても感動しました。初めて自分が何者で、何のために生まれてきたかということに目覚めていくところ。

原田　それを心の中の引き出しにすっと仕舞われて、学問の道へ？

池田　学問を究めるというほどの気持ちがあったわけではありませんが、東京教育大学（現・筑波大学）の哲学科へ進みました。大学院にも行くつもりでした。ところがどっこい、学園紛争で学校が封鎖されて、4月に入学したら6月にはストになって、授業がなくなっちゃった。私は今でも、先生がストライキをするのは正しいけど、教えを請うている学生がストライキをするのは間違っていると思うのです。そうやって大人や社会に対して批判をするのであれば、最低限でも自分で食べていくことが条件じゃないか、と思った。それで、1年生の秋、18歳の時に「自立します」って置手紙をして家を出ました。以来、工場や喫茶店などで様々な仕事をしましたが、どうも人前に出たり人と会ったりすることが苦手で、閉じこもってできる仕事を探そうと考えたのです。小説はどうやらダメなので、その時に初めてストーリー漫画を描きました。

原田　意外にも消去法だったのですね。

池田　世間知らずだったので、漫画を出版社に持っていけば採用されると思い込んで、集英社に64ページの長編を持っていった。原稿料の使い道まで考えていて……そうしたら、話になりませんって言われたの。でも創作することは好きだったので、今度は講談社の「週刊少女フレンド」に持ち込みました。今度は編集長さんが、まだダメだけれど、才能がある気がするから、貸本屋用専門の出版社ですこし勉強してみませんかと、紹介してくださった。そこでは230ページ分ぐらいをまるまる好きに描かせてくれて、ものすごくいい勉強になりました。最初に被爆2世の少年の物語を描いて、そこで4冊ぐらい描いたはずなのですが、自分でも記憶があいまい（笑）。そうこうするうちに、講談社の方が声をかけてくださって、「週刊少女フレンド」に1作品描いたところで「週刊マーガレット」からスカウトが来ました。

「ベルサイユのばら」誕生

池田　当時、「週刊少女フレンド」には里中満智子さんがいらして、私の出る幕はなさそうでした。でも、どうせ描くならトップを目指したいと思いました。「週刊マーガレット」では最初から本誌に4回の連載と別冊に60ページの読み切り、破格の条件でした。それが大学3年生の時。それから短い連載などをすこしずつ描いて、そろそろ長編を描きませんかと言われたのが大学6年生の時です。実は描きたいものがあると「ベルサイユのばら」の構想を話したら、女子供向けの雑誌に歴史ものはダメだと言われてしまいました。そんな高尚なものは、ウケるはずがないって。

原田　コンサバな時代ですね。描き手も女性なのに。

池田　でも、当時、描き手にはけっこう男性がいて、同じぐらいの人気でも女性はギャラが半額。女は将来結婚して男に食わせてもらう、男は女を食わせるんだから、男が倍もらってあたりまえでしょって言われました。

原田　そんな時代だったのですね……。そんな中で「ベルばら」を連載するための突破口はどうやって見つけられたのですか？

池田　必ず当ててみせますからと言いました。当たらなかった場合は打ち切りにしますよと言われたので、それで結構ですと。自信があったのです。自分で描いていて楽しかったから。

原田　オスカルという非常に魅力的なキャラクターの着想は？

池田　史実として、1789年7月14日にフランス衛兵隊を率いて民衆の側に寝返った隊長さんがいたので、この人を描きたいと思いました。でも、24歳の小娘に男の軍人さんのメンタリティは理解できない。だから女性にしたの。軍人の家に女性として生まれながら男性として育てられたという設定にすればいいと思って。

原田　そのひらめきが世界を変えた！

池田　結果的に、当時働く女性はみな、私と同じ思いをしていたようです。ガラスの天井どころじゃない、ぶ厚い石の壁があった。だから、私は子供向けに描いたつもりだったのに、大人からの反響が大きくて。特に働いている女性たちから「私もアンドレがほしい」という声が寄せられました。

連載が終わって初めて、私はフランスへ行きましたが、石の文化とはこういうことかと驚き

池田理代子

ました。柱の太さひとつとってみても、自分が想像していたのとはスケールが違った。ベルサイユ宮殿では日本人の通訳さんがついてくださったのですが、「最近、日本からくる観光客がやたらとフランス革命に詳しい。アントワネットとフェルゼンのこととか詳しくてびっくりします」と話していらして、「ところでオスカルって何ですかね?」と尋ねられました。「さあ、何でしょうね」としらばっくれましたけど(笑)。

原田　私も小説を書いていて、史実にフィクションを織り交ぜ、歴史上の人物を自分の筆で動かせるのは、本当に面白いです。架空の人物は自分の代弁者みたいなところがありますが、オスカルは先生の代弁者なのでしょうか? あの清廉潔白な正義感はとても女性的だと思います。だから女性たちの心を打った。オスカルというかっこいい女性に、私たち女性が誇りを持つことができました。

池田　男性に伍して働ける強い女性は素敵ですよね。女性はただめそめそ泣いて、何かあったら男にすがって生きていくだけが能じゃないよ、という私の気持ちはありましたね。

原田　一方で、アンドレとの恋愛とかフェルゼンへの片思いとか、オスカルはすごく柔らかい心も持っている。そうした心の綾が表現されているところにも、私たちは心をつかまれた。漫画から派生して宝塚でも大ヒットしましたね。

漫画は悪の時代

池田　ただ宝塚では当初、漫画を原作にするなんてとんでもないと反対があったようですよ。

原田　手塚治虫さんのお膝元なのに！

池田　手塚先生といえば、漫画ということで私が貶められ、叩かれた時に、励ましてくださいました。「ベルばら」の連載が1972年に「週刊マーガレット」で始まった後、私は評論家に結構叩かれたのです。漫画は子供に害悪を与えるということで。学校の先生の中にも「ベルばら」を子供たちに勧めてくださった方は当時もいらっしゃいました。ただ、ふつうの親御さんたちや、年齢が上の人たちからは、子供が本を読まなくなったのは漫画のせいだと言われたのです。私はテレビのせいだと思っているのですけど。そんな時、手塚先生は、僕の作品も小学校のPTAのお母さんや先生が子供たちから全部とりあげて、校庭の真ん中で火をつけられたことがあります、だから君も負けないでって。

原田　そ、そんな。焚書ですね。手塚先生の初版が……。

池田　初版本の価値なんて誰も考えていませんでした。まあ、そうした親御さんに限って、たいていご自分は本を読まれない。自分が子供にいい影響を与えられなかったことを、新しく台頭してきたメディアのせいにする。

原田　そういう人たちの仮想敵になってしまったのですね。私は、今年亡くなった父が、子供が好きなものはなんでも与える主義だったので、非常に感謝しています。兄妹で小説も漫画も好きなだけ読みました。人間形成にもかなりの影響を受けていると思います。

池田　そうですよね。で、日本の文化受容の特徴なのですが、海外で認められると急に国内でも評価されるようになります。画家の池田満寿夫さんも、草間彌生さんもそうでしょう。漫画はヨーロッパでヒットしたので、文科省も経産省もようやく重い腰を上げました。日本人はどうも、新しいものに対する自分たちの評価に自信が持てないのかなと思います。

また、私はいま声楽もやっていて、自分でオペラを主催することもあるのですが、たとえばミラノ・スカラ座から来るオペラにはみんな5万円払ってでも行きます。いい席から売り切れちゃう。私はみなさんにオペラを知っていただきたいという思いから、日本人のオペラ歌手が出演するオペラをチケット1枚6000円ぐらいで開催することもありますが、それでも売れない。スカラ座の10分の1でいいから、日本の若いオペラ歌手を育てるためにチケットを買うことにあてていただきたいと思うのですけどね。個人としても国としてもそういう意識は薄いようです。ヨーロッパだともっと国が自国の芸術家を育てることを応援しているのですが、日本の場合は、海外で認められることと、お金になること、この二つの条件がそろわないと政府は動きませんね。

クリエイティヴこそ日本の宝

原田　でも1990年に東京国立近代美術館で手塚治虫展があった時、私はついに漫画もここまできたかと感慨深く思いました。国の機関が漫画をアートとして認めた、と。日本の漫画が世界に認められる時代の礎は池田先生がお作りになったし、陰では手塚先生が支えていらした。そのおかげで、今の私たちがあると思うと、あらためて御礼をもうしあげたいです。表現の自由を勝ち取るべく闘ってくださったことに。
池田　自分では闘ってきたという意識はそんなにないんですよ。ダメだったらやめて、好きに描こうと思っていました。もちろん商業誌に描くのだから、折り合いをつけるのは当然です。だから、たとえば「ベルばら」では、オスカルが死んでから10週で終わらせるようにと編集部に言われて、そのとおりにしました。私はナポレオンの登場まで描ききってこそフランス革命だと思っていましたが、理解は得られなかったですね。

原田　ところで私、じつは誕生日が7月14日なのです。子供の頃、父に「おまえはパリ祭生まれだから、いつかフランスに行くかもしれない。パリ祭の日に行ったら、みんながお祝いしてくれるぞ」と言われ、その後に「ベルばら」を読んで、12歳の私は、自分は7月14日に死んだオスカルの生まれ変わりなのだと思いこみました(笑)。去年の誕生日にちょうどパリにいたので、7月13日にバスティーユ広場に行って、日付が変わる時に「フランス万歳!」って、オスカルの台詞を言って、それを動画に録って大喜びしちゃって……。

池田　バスティーユ広場に赤いバラを一輪置いて、撮影される読者の方もいらっしゃるようですよ。3年前だったか、オランド大統領が来日された際のレセプションにご招待いただいたのですが、大統領に随行されていたフランスの方が「私は『ベルばら』でフランス革命を勉強しました。『ベルばら』がなければ、マリー・アントワネットのことを、学校で通り一遍に習ったような悪い女としか思っていなかったでしょう」とおっしゃっていました。

原田　日本はそんなにすごいクリエイターのいる国なのだと思われることは、やはり誇りです。クリエイティヴィティこそが、クールジャパンなんかじゃなくて、世界に通用する日本の宝だと思います。

池田　政府が本気で日本語教育を世界で広めたいなら、漫画とアニメでしょう。先日イタリアで、麻生太郎副総理の通訳を務められたイタリア人男性にお会いしたのですが、すごく綺麗な日本語を話すので、どこで勉強されたのかと訊いたら、「ベルばら」ですって。「ベルばら」には綺麗な日本語が書かれていると言っていただいて、嬉しかったです。

原田 『オルフェウスの窓』の文章も本当に綺麗ですよね。特にモノローグ。何かを参考にされているのですか？

池田 自分は本当は文章を書きたかったという思いが大きいです。詩も短歌も作っていたし。「オルフェ」の舞台のレーゲンスブルクは、旅行していた時にたまたま立ち寄ったのです。すごく古くていい町でした。そこに音楽学校があって、寄宿舎を訪ねてみて、それでドイツの音楽学校の青春群像を描こうと決めたの。まだ日本ではあまり知られていない町でしたが、レーゲンスブルク市の観光局長さんからは、同じ本を小脇に抱えて町を歩く日本人女性の観光客がすごく増えたと、御礼の手紙をいただきました。

原田 作品自体がツーリズムにつながっているということですね。私も意識して、小説の中には実際の地名や実在の美術館の名前を入れるようにしています。ベルサイユへ行く前には「ベルばら」を読むし、ヴェネツィアへ行く前は『ベニスに死す』を観る。サンクトペテルブルクへ行く前は『女帝エカテリーナ』。漫画や映画の影響力は大きいです。先生はその先陣を切られた。『オルフェウスの窓』は、「ベルばら」にも増して、物語が重層的になっていると思います。ものすごく厚みがある。

池田 それは「ベルばら」を描いた後に初めてヨーロッパへ行って、やはりヨーロッパのことを描くにはキリスト教への理解が不可欠だと気付いて、勉強したから、その違いじゃないかな。

「オルフェ」はロシア革命につながっていくので、「週刊マーガレット」ではもう無理だと思って、途中から「月刊セブンティーン」へ移りました。

原田 大きい物語を描くための器が必要になったのですね。その時期になると読者も育っていたのでは？

池田 編集部が育っていました。ぜひ歴史ものを、と言われて。

原田 『ベルサイユのばら　エピソード編』、ワクワクしながら読みました。登場人物のサイドストーリーやバックストーリーを、あれから40年を経て教えていただけて、感動しました。この続編もまだ描き続けられるのでしょうか？

池田 はい。早いもので画業50年。今後は全国巡回の展覧会も予定しています。

（2016年11月18日　東京・池田理代子邸にて）

【インタビューを終えて】

池田理代子先生は華やかで実に清々しい女性である。『ベルサイユのばら』の登場人物のエッセンスを抽出したような方だ。——いや、池田先生のエッセンスで創られたのが、アントワネットであり、オスカルなのだ。広い視野で世界とその歴史を眺め、常に問題意識をもち、女性漫画家が蔑視されていた時代を果敢に闘ってこられた。その姿はオスカルそのもの。美しく、カッコいい。これからも追いかけていきます。「ベルばら」…ばん…ざい…！

冷泉貴実子

れいぜい・きみこ

冷泉家25代当主・為人夫人／冷泉家時雨亭文庫常務理事、事務局長

1947年、京都生まれ。父親は冷泉家24代・冷泉為任。京都女子大学大学院（日本史）修了。1981年、冷泉家時雨亭文庫が設立され、事務局長に就任。1984年、冷泉家25代当主となる為人と結婚。2003年、冷泉家時雨亭文庫の常務理事に就任。

原田　昨年は貴実子先生が可愛がっていらっしゃる猫に子供が生まれて、福岡に住む私の友人のところへ養子にやるお手伝いをさせていただきました。そのおかげで「飛梅」という短篇を書くことができました。動物に対する貴実子先生の深い愛情に感動したんです。私たちの中にある、小さいものを慈しむ心や傷ついたものを労る心は、和歌の心にも通じるような気がします。貴実子先生の生き方自体が和歌そのもの。そんなわけで今日は人間・冷泉貴実子についてうかがいたいと思っています。

私が5年前、初めてこちらにうかがった時は、京都を舞台にした『異邦人』という小説を書くための取材で、すごく緊張して「京都の深いところを書かせていただきたいんです」と言ったら、先生が「それもいいですけど、まずは和歌の教室をご覧になったらいかがですか」とおっしゃった。突然和歌を作ることになったのですが、筆を持ったのも小学校6年生以来で、短冊に和歌を書くなんて生まれて初めてのことでした。でも、昔の人たちの日常に接するような体験が、新鮮でした。以来、冷泉家の主宰される和歌会に通わせていただいています。

知らなくても思い出す

冷泉　今は和歌を詠むのが珍しいことになってしまっているけど、江戸時代の終わりぐらいまでは、ある階層の人々にとっての教養として、ごく普通のことだったと思います。たとえば「梅」といえば「梅が香」「梅が枝」「雪より咲く」という言葉が出てくるのが常識だった。独創的なものを必死になって生み出すというより、生活の中でごく自然に一つの美を自分の周りに構築するという、簡単なことやった。お花を生けることが生活の中での普通の仕事であるのと同じように、何も構えたことではなかったんです。

原田 たしかに和歌は今では遠い世界のものになっていますね。

冷泉 でも、私が和歌の話をすると、聞いている人はみんな「思い出す」感じがするのです。知らなくても、少なくとも「わかる」というのかな。特に和歌を習ったわけでもないのに、言われると、そうなんやって気づく。たとえば「草の露に虫が鳴く」なんていうと、20代の若い人たちなんか、そうした光景を見たことがなくても、みんな「思い出す」、つまり想像できる。すごく日本人的で不思議やなあと感じます。

原田 私も小説を書く時に、たとえば恋をしている綺麗な女の子の描写で「瞳が、朝露が留まったように煌めいている」と書く。よく考えてみたら私自身も朝露なんてそんなに見たことがない。それでも単に「煌めいている」と書くのと、「朝露が留まったように煌めいている」では、全然違います。それが小説に奥行きをもたせるし、たとえその情景を知らなくても、朝露が煌めくような清浄な感じというのは、みんな共通して思い描くことができる。知らないうちに自分も表現しているし、読者も受け取ってくださっています。

冷泉 日本の美は、必ずしも見た、聞いた、体験した、ということではないんですね。原田さんの『異邦人』は私も読ませていただいたけど、すごく美しい京都の四季の描写が織り交ぜてある。ただしそれは現実じゃないですよね。頭の中にある想像上の美の世界。京都の美は結局そういうもので、日本人の頭の中にある一つの美意識による追想なんやないかな。

原田 学んだ、学ばなかったというレベルの違いも色々あるとは思いますけど、千何百年もの

冷泉貴実子

間、脈々と受け継がれてきたものが、日本人のDNAの中に溶け込んでいるようなところはありますよね。「浜千鳥」なんて言葉は、千鳥を見たことがなくてもなんだか爽やかでかわいらしい感じをイメージできます。

座の芸術

冷泉　『古今和歌集』の「奥山に紅葉踏みわけ鳴く鹿の声きく時ぞ秋は悲しき」は誰もが知っている歌で、秋の悲しさを感じさせるけれど、現実に鹿が奥山で紅葉を踏んで鳴いているのを見た人なんていないわけです。にもかかわらず、それで感動しちゃう。京都のお菓子は秋になったら紅葉の形が印で押してあったりするでしょう。そして「奥山」なんて銘が付く。買う人にちょっとした教養を要求しているのですが、そこに、見たことのない美を想像できるという日本人の美意識がある。これはヨーロッパだと違うのかなと想像しますが、しょっちゅうフランスに行かれている原田さん、いかがですか？

原田　たしかに違いますね。「奥山」という銘の付いたお菓子を秋に喜んで買うというような、季節感とかニュアンスを楽しむことに、日本人は非常に心惹かれてきた。

冷泉　茶の湯はそれこそ、そういったものをものすごく集約した世界ですよね。お初釜であれば梅が一輪生けてあって、お茶杓の銘は「鶯の初音」でございます、茶碗の銘は「早蕨（さわらび）」でございます、と春尽くし。そうした時に、いくら庭に菊が咲いていていても菊は生けない。ある種のパターン化された約束事がある。それは、日本人はみんなで同じ空間を楽しむ、同じ季節を楽しむというDNAがあるからじゃないかと思います。いまの時代に芸術をやろうとすると、人と違っていないなくちゃいけないとなるけれど、実は日本人は一つの空間の中でみんなで一つの方向を向くというか、一つの座の文学、座の芸術を楽しむことが好き。それを否定する必要はないんやないかな。日本の社会構造を考えた時に、例えば一つの会社で育んできた〝社風〟みたいなものが日本を繁栄させてきた側面もあるわけですから。

原田 制約の中の美、箱庭の美みたいなものが、日本人は本当に得意ですよね。それは平安時代ぐらいから王朝文化の中で脈々と伝えられてきて、そこに茶の湯や和歌もある。その制約が千何百年も前に既に完成されていた。だからこれからもその形を伝えていくことは正しいと思います。ユニークな流派や手法が出てくることも歓迎するけれど、冷泉家がお護りになっている和歌の形は次の世代につなげていくべき重要なものですね。

冷泉 次の世代といえば、和歌は不思議なことに意外と今の子供たちにもわかる。高校から依頼があって教えに行って、じゃあみんなで「雪の朝」という言葉を入れて和歌を作りましょうと言うと、どんな子でもできる。「萩」は知らんし、「梅」でも怪しい。でも、わからない言葉もとにかく一所懸命教えておくと、50歳ぐらいになってから気づくのかなと思いますね。子供の頃に「兎追いしかの山」って聞いて、兎が美味しいと勘違いする子が多いと聞きますけど、大人になったら、兎を追うことや、ってわかる。みんな兎を追ったことも小鮒を釣ったこともなくても、ある年齢になるとこの歌を聴いてその情景を思い浮かべ、涙する。そういうことはぜひ次の世代に引き継いでいってほしいなあ。近頃、文科省は文部省唱歌を否定する傾向にありますけどね。「われは海の子」の「煙たなびくとまやこそ」っていう言葉の意味がわからへんからあかんと。でもここで「苫屋（とまや）」という言葉を習っておくと、いつかわかる時が来る。定家卿の「見渡せば花も紅葉もなかりけり」の「浦の苫屋の秋の夕暮」の苫屋と同じだということがわかる。それが50歳でも60歳でも遅くはないと思います。

護られた御文庫

原田　現代ではタブレットの端末などですぐに調べることもできますしね。今ちょうど子供の話が出たので、先生の子供時代についてのお話をうかがいたいんですが、お生まれになったのはこの家ですか？

冷泉　そうです。ここで私が生まれたのは戦後すぐ。いわゆる団塊の世代ですね。うちは昭和20年（1945）の戦争直後まではいわゆる爵位があって、伯爵でした。ところが戦後急激に社会が変わった。私は冷泉家が庶民になってからこの家に生まれた子供の第一号です。ですから、私自身は体制の変化を経験していないのですが、両親にとってはものすごいギャップで、大変だったでしょうね。うちはご覧のとおり広いですけど、戦後すぐは人手もなくて荒れ放題。庭なんかジャングルみたいで、障子はビリビリに破れて、雨が降れば雨漏りしました。

昔から先祖の藤原俊成とか定家のことは「シュンゼイキョウ」「テイカキョウ」と呼び、神さまとして手を合わせていたのですが、学校の授業で二人の名前が出てきた時には、実在した人やったのかとびっくりしました。御文庫（冷泉家の古典籍・古文書が収めてある土蔵）は近寄ったらあかん、罰が当たる、と教えられていて、ちょっと怖いような場所でした。でも、その御文庫のある庭には、破れた塀から近所のいたずらっ子がいっぱい遊びに来て、缶蹴りなんかしてたんですよ。

この家は京都御所から近くて固定資産税が高い場所で、さらに戦後すぐには財産税という税金があって、両親はほんとうに苦労しました。国には古いものを護ろうという気概が全然なかった。母は晩年になっても思い出して泣いてましたけど、徴税官が土足で上がり込んできて、「払えへんのやったら売ればいいやないか」と言われたそうです。こんな広いところに数人で住んでいること自体が間違っている、という考え方の時代が長かった。だから御文庫にあった古書以外のこの家のものは、たくさん流出しました。サラリーマンだった父親のボーナスは税金で全部持っていかれるし、屋根の修理や植木の剪定にもお金がかかった。それでいよいよ父が退職したらこの家を処分せなあかんとなった。相続税を計算してみたらもう、何十億という額で、とても払える金額じゃなかったんです。ちょうど裏手の同志社が拡張期だったので、土地を売らへんかという話が来ていました。それを京都府が聞きつけて、この屋敷を重要文化財にするという話が出てきたのです。じっさい、府の文化財保護課が調査した後、即、これは重要文化財にさせてもらえませんか、と言われました。そして今度は所蔵する古書に学術調査が入ったんです。それが忘れもしない昭和55年（1980）4月。その時、朝日新聞の記者さんが学者さんたちに同行していて、写真を撮って帰られた。1週間ほど経っても全然新聞に載らないからボツかなと思っていた矢先、ある朝起きてびっくりしたの。一面トップで大ニュースになっててね。

原田　お宝発見！　藤原定家の真筆があるぞ、と。

冷泉　突撃レポーターはやってくる、ヘリは上空を旋回する。朝日新聞の記事の書き方がよかったんでしょうね。よくぞこれまで護ってくれた、これぞ日本の宝や、という論調で紹介してくれた。それから急に、こんなもんを放っておくわけにはいかん、護るためには財団法人を作った方がいいと言われるようになった。そのためにはお金が必要だったんですけど、大報道の中で、文化庁が重文に指定するという方向になったら、基金が集まって、1年で財団法人ができたんですよ。ジャーナリズムというのはすごいもんやと思いましたね。報道されてすぐに、京都セラミック（現・京セラ）の社長だった稲盛和夫さんから朝の6時ぐらいに電話がかかってきて、「感動しました、5000万円寄付します」って。やっぱり世の中ってありがたいですね。

原田　もしかしたら定家卿の霊が、記者にそんな記事を書かせてくれたのかも（笑）。

冷泉　一方で、どんな政治家の首だって絞めるぐらいの力を持っているのがジャーナリズムですよね。

原田　ご両親はお喜びになったでしょうね。ぜひ素敵なお母さまの話もお聞きしたいです。冷泉家の伝統行事などを戦後もずっと守ってこられたんですよね。新春の歌会始とか乞巧奠（きっこうでん）（七夕の行事）とか。

冷泉　伝統行事は今どんどん失われていると言われますけど、やっぱり場所は重要ですね。場所がなくなるとやれないことはありますから。うちは幸い場所が変わらずにすんだ。ただ、かつての歌会始の参加者は今みたいに多くなくて、数人の時もありました。今はスタッフもたくさんいてやりやすいけど、母は昔、それこそ自ら掃除してやってましたわ。

ハンバーグの思い出

原田　子供時代のお母さまの一番の思い出は？

冷泉　そうですね……年末になると、しばしば正月の節会料理の母の味のレシピを教えてくださいと訊かれるんですけど、母は戦後になるまで自分で料理をしたことのなかった人です。お嬢さんで、お台所は女中がするものだった。だから例えばお正月の黒豆は瓶詰でもいいし、佃煮屋のごまめでも構わんかった。ただ、母は、私が戦後通っていた同志社の幼稚園の母の会みたいなところがやっていた料理教室に行っていました。宣教師とか外国人の先生の子供たちも通う国際的な幼稚園で、その料理教室でも外国人のお母さんが先生をしていたのかわからないけど、母は私が卒園してもその教室に通っていたので、母の手料理といえば、ハンバーグとかシチューなどの洋食が思い出されます。世間のイメージは芋の煮っ転がしだったりするんやろうけど、そんなん食べたことなかった。

原田　そんなギャップが素敵です。貴実子先生は冷泉家のお嬢さまというイメージがあるのに、お目にかかるとすごく気さくで話し上手、動物好きな可愛い女性。こんな言い方は失礼にあたるかもしれませんが、ギャップ萌えしちゃいます。歌会始の時はみなさんを統率して場の空気をぱっと変える力があるのも素晴らしいです。

冷泉　恐縮です。スタッフがしっかりしているからです。もうこの頃私、いつ死んでも大丈夫やなって思いますもん。

原田　いやいや、まだまだがんばっていただかなくては。冷泉家というと、世の中の人は敷居が高いんじゃないかと思ってしまいますけど、そしてもちろん格式と伝統を継承する家としての責任もおありだと思いますけど、和歌は日本人の心に根ざしたものだと先生に教えていただくと、すごく響きます。私もこの年になって、古典を嗜む喜びを感じています。私は現代文で小説を書いているけれど、和歌を作る時の脳の動きはなんだか違う気がします。昔の優れた歌人の作品を拝読すると、すごく自然にできているにもかかわらず、いろいろなルールをきちんと押さえている気持ちよさもあって。

冷泉　日本の学校の古典の教育は、なんであんなに難しいんでしょうね。文法とか、もっともわからんことを、ややこしく教えている。助動詞の活用なんてみんな嫌いじゃないですか。日本語やし、わかるはずですよ。今は英語の方がわかるっていう子がいっぱいいます。

原田　最近、お子さんをいきなりインターナショナル・スクールに入れちゃう親御さんがいらっしゃいますよね。たしかにグローバルに活躍するには英語力をつけるのは大事だと思いますけど、日本語もままならない子供に先に英語を教えることはない。まずは美しい日本語を教えないと、向こうの文化を一方的に受容するばかりで、こちらの文化を向こうに伝えることができなくなってしまう。私も外国の方々としょっちゅう仕事をしているので、少しでもこうした日本の感性を伝えていけたらと思います。そのためにも、これからもずっと先生についてまいりますので、どうぞよろしくお願いいたします。

（２０１７年１月15日　京都・冷泉家にて）

【インタビューを終えて】

初めて冷泉貴実子先生にお目にかかったのは5年まえのこと。京都を舞台にした小説を書くために取材を重ねるうちに、ついに京都の超名門・冷泉家の敷居をまたぐことに。緊張していた私に貴実子先生はやさしく笑いかけ「小説もええけど、和歌を体験してみはったら?」と和歌会に誘ってくださった。あれからずっと、和歌を詠むたびに、美しい日本の四季に遊び、典雅な言葉に胸を震わせ続けている。先生、これからもついてゆきます。

冷泉貴実子

伊勢彦信

いせ・ひこのぶ

イセ文化財団代表理事

1929年、富山生まれ。1946年、父親が創業した伊勢養鶏園に入る。1962年、イセを設立。1971年にフラワー食品（現・イセ食品）、1980年にイセアメリカを設立。1983年、イセ文化基金を設立。1992年、イセグループの会長に就任。2015年、東京や三重で開催された展覧会に自身のコレクションを出品。2017年、パリの国立ギメ東洋美術館で中国陶磁のコレクション展を開催。

原田　伊勢会長には、私が小説家になる以前、アート関係の仕事をしている頃からずっと応援していただいて、20年以上になるでしょうか。会長の伝記『卵でピカソを買った男』(山田清機著)を拝読すると、まるで鶏卵販売業界の風雲児！　でも今日はアート・コレクターとしての会長のお話をぜひお聞きしたいです。アートとの最初の出会いはいつ頃なのですか？

伊勢　もう生まれた時からという感じ。あなた方の時代と違って戦前は何もなかったけど、講談社が綺麗な絵の入った本を出していたんですよ。世界の偉人をカラフルな絵で紹介するような本で、けっこう有名な画家が描いていたと思う。それが1冊35銭で、小学校1年生では買えなかったのね。それで友達に呼びかけてひとり1銭ずつ35人から集めたの。

原田　クラウド・ファンディング！

伊勢　35人でぞろぞろ本屋へ買いに行ったら、学校の先生がそれを聞きつけて、「あなた方だけのものにしてはだめよ、みんなに見せなさい」って、その後、学校中に回されて。戻ってきたらもう、ボロボロになっていてね(笑)。そんなふうに、小さいころから絵に関するものを買ってたわな。

最初はモネ

原田　実際に絵を購入されたのは？

伊勢　モネの《エプト川のポプラ並木》(1891年)が最初。いや、それ以前から、元々、家内も私も自制心のない人間で、富山で暮らしてて3万円ほどたまると金沢に行って、油絵を買ってきては家の壁に掛けとった。でももうちょっとちゃんとしたもんを買わなあかんなって、二人で東京に出てきて、モネを買った。仕事が軌道に乗り始めた35～36歳の時かな。払えなかったけど、家内が買おうって聞かんのよ。フジヰ画廊さんに、払える見込みがないんだけどと正直に言ったら、「いやいや、そんなこと気にしないで、今すぐ荷造りして送りますから」って。社長の藤井一雄さん、気持ちのいい人やったなあ。50年ぐらい前のことかな。

原田　ということは、オイルショックの前ぐらいですね。松方コレクションを一般公開する国立西洋美術館ができたのが1959年。その頃からモネのような西洋近代絵画が一般の人にも知られるようになったんですよね。モネをはじめとする印象派やゴッホがようやく定着してきた時期でしょうか。

会長はその頃からずっとコレクションを育てていらしたんですね。集め方とか、コレクションを貫くまなざしはコレクターによって違いますが、イセコレクションにはものすごく所蔵者の「想い」が込められていると感じます。買われるときはどなたかに相談されているんですか？

伊勢　全部衝動買い。作品のある富山の自宅がいつも恋しいね。家には集めた作品を全部飾ってるんです。

原田　暮らしの中にコレクションがあって、一緒に生活できるってなかなかないことだと思いますけど、例えばモネの作品がご自宅にやってきた時はどんなお気持ちでした？

伊勢　とても嬉しかった、それだけやな。その時は払う力もなかったくせに、なんでこんないい絵がこんなに安いんやろと思うたわ。当時は2500万円ぐらいやったかな。

原田　購入した作品が家に届いてクレートを開ける喜びって、コレクターにしか許されていないですよね。伊勢会長にとってどんな瞬間なのでしょう？

伊勢　いやいや、家に来た時ではなくて、店で見て買うと決めた時の方が嬉しい。

原田　「結婚しようよ」ってプロポーズするみたいな感じですか？

伊勢　そう。数年前に買ったブランクーシの時も、ウィーンの所蔵者から「ちょっと遊びに来んかね」って電話がかかってきて、これは手放すなってぴーんと来てね。ウィーンの美術館に寄託されていたものを買ったんですよ。

原田　そんなふうにひとつひとつのコレクションとの出会いがあるんですね。

伊勢　でも私ももう歳やからね、あなたに私の始末の物語を書いてほしいな。コレクション、私が死んだ後にただぽんと美術館に持って行かれるよりも、なにか美しい物語にならんかなと思って。あなたが筋書きを書いて、私がその通りに踊るというのはどう？　あなたの物語の中で死ぬ。

原田　何をおっしゃいますか。じゃあ、20〜30年後ということで。

綺麗なものしか買えない

原田　だって今もとてもお元気で、海外にも頻繁に行かれているでしょう？

伊勢　月に1回ぐらいかね。今はASEANの国が多いのよ。2週間前にヴェトナムに行きましたわ。ヴェトナム政府とJICAで港造って空港造って、巨大な牧場造ってる。牧場は18ホールのゴルフ場が30個入るぐらいの大きさ。そこに呼ばれて、お宅で買って使ってくださいって言われて、私、二つ返事で「やりましょう」って言いました。そういう話を聞くと興奮する。これもやっぱりコレクションと同じで衝動買いやな（笑）。

原田　でも会長の場合は、ご自身が好きで作品を買っていらっしゃるというのが本当によくわかります。

伊勢　たしかに誰のアドバイスも役に立たんな。

原田　専門家の話を聞きながら買うこともいいんですけど、そうすると没個性になっちゃうんじゃないかと思います。なんといっても、「自分が好きだから」と集められたコレクションはやはりおもしろいです。松方コレクションなんか本当にクレイジー。

伊勢　松方さんの場合は、時代を先取りして買われたものが半分ほどはありましたから、素晴らしいです。

原田　大原孫三郎さん（大原美術館創設者）にしても、やはり歴史に残る名美術館ができるようなコレクションをする、名コレクターになる人というのは、ある種のクレイジーさを持ってますよね。そして「時代を読み過ぎない」というか、これと一緒に暮らしたいから買うんだという気概が、非常におもしろい。

伊勢　そうなのかな。私は昔、ルノワールのとても美しいパステル画を買ったことがあるんだけど、何人かの人に、こんな通俗作家の絵を買ってどうするのかって言われました。私は綺麗なものにお金を払いたいと思うだけ。何にせよ、わかりやすくて綺麗でないと。何やら難しいコンセプチュアルな作品は説明を聞くと納得はするけど、私には買えない。パッと見がいいものしか。

原田　とてもシンプルで普遍的な感性だと思います。6月から始まるパリのギメ美術館での中国陶磁の展覧会にはどんなものが出るんですか？

伊勢　全部で約80点、中国の陶磁が全部わかるような並べ方をします。フランスの国立美術館の館長クラスの人が富山の家に来て決めていったの。彼らは「中国陶磁は、世界中で日本が一番いいものを持ってる」と言ってたね。「こんな素晴らしいものをどうして選んだんでしょう」って涙を流すのよ。役人らしからぬ感動の仕方。フランスの役人はよく勉強してるね。

原田　彼らにとって文化・美術はものすごく大事な外交のツールなんですよね。私はフランスの美術について小説にすることが多いから、そのあたりにはとても関心があります。ちょっと話はずれますが、今、19世紀末に日本の浮世絵を西洋に広めた美術商の林忠正の小説を書いていて、浮世絵が印象派に与えた影響について考えているんですが、なぜ日本人は印象派が好きなのかといえば、印象派の中には日本美術のDNAが入っているからじゃないかと思うのです。私たちは無意識のうちにそれを受け入れている。

伊勢　なるほど、それは気がつかんかったな。ニューヨークのイセ文化基金で私、30年以上日本人アーティストを売り出そうと一所懸命展覧会をやりましたけど、油絵では絶対にアメリカ人に太刀打ちできなかったのよ。日本人のは綺麗やけど優しすぎる。でもデザインとなると別で、日本が強いの。すきーっとして。今あなたの話を聞いてわかったわ。フランス美術には日本美術の遺伝子が入っていても、アメリカはまた違うな。

原田　戦後、現代アートの主軸がパリからニューヨークへ移って、アートのあり方が変わりましたよね。

これからのコレクター

伊勢　私はパリのアーティストは知らんけど、アメリカ人ではウォーホルやジャスパー・ジョーンズ、ローゼンクイストらとおつきあいがありました。ウォーホルは、自分の絵がいいから買えじゃなくて、「僕の絵は今世界一」って、勧めてましたね。

原田　買っておくと価値が出るよという勧め方、資産価値を強調するんですね。ウォーホルっぽいし、戦後のアメリカ人アーティストとして象徴的な気がします。

伊勢　日本人はそういう手法にはなかなか乗れないね。だから私、彼からだいぶ買い損なった気がする。

原田　でもウォーホルに肖像画を描いてもらっているじゃないですか。

伊勢　たしかに描いてもらったし、いくつかは買ったね。しかしコレクションのポリシーも何もないし、自分ながらわけわからんわ。ひとつ心に決めているのは、国の補助金とか賞とか、意味のないものはもらわないことかな。30年前に安田火災（現・損保ジャパン）がゴッホの《ひまわり》を58億円で買った時にものすごく批判されたでしょう。私はその時「日経アート」誌に、ゴッホがどんな作家なのか、安田火災がどんな重要な仕事をなさったかということを書いたのよ。そしたら安田火災の当時の社長から電話がかかって来て、私の記事をコピーして社員に配って元気づけたとおっしゃった。ついては伊勢さん、わずかやけど財団に５０００万円寄付したいと言われたんです。

原田　ぜんぜんわずかじゃない（笑）。

伊勢　その時、申し上げたのは、５０００万円じゃなくて5億円下さる時に言ってくださいって。５０００万円はお預けしておきますって。

原田　かっこいいなあ！

伊勢　立派でありがたいお申し出ですが、いわれのない金はいただかんことにしています。

原田　それにしても、いろんな美術館から会長に貸出し依頼があるのは、コレクションが高く評価されているということですよね。これからの日本のアート・コレクターはどのようになっていくと思われますか。

伊勢　状況はよくなっていくでしょう。一昨年の11月に金融庁から各金融機関に通知が出されました。これからは不動産ではなく、新しい分野として美術品を担保にお金を貸しなさい、と。まだ安田火災の一件をひきずっていて、美術品を買うのは経営者としての倫理に反するような感じをみんな持っている。そこから解放されるまでは時間がかかるけどね。でも日本人は世界で一番センスがよくて、いいものを買うのよ。私のコレクションもけっして私ひとりで集めたわけじゃなく、足利将軍以来の先人たちがずっと守り継いできたものです。これから、経営者は教養として、いい作品をいくつか持つべきだというように、急速に世の中の意識が変わっていくと思うんです。

　このあいだインドネシアで中国陶磁のコレクションを見せてもらいました。ジャワ島の隣の島の王様の下へ、歴史の中で、たくさんの中国陶磁が贈られてきたそうで。ところがそのコレクションのグレードたるや、みじめなものや。それをインドネシアの人たちは国の宝と思ってる。これからは日本人が美術とはどういうものかということと、お金の使い方をきちんと教えたら、アジアのお金持ちはいいものを買うようになると思うよ。これまではお金の使い方がわからなくて、自分の国の通貨も信用できず、ダイヤや金しか買ってなかったから。

原田　今、中国陶磁はオークションでもすごく高騰していますよね。中国のコレクターの方たちが買い戻そうとして。

伊勢　出光佐三さん（出光美術館創設者）の世代がお買いになった後、日本で中国陶磁を買うのは私だけだったけど、この4～5年は私ももう、オークションには手が出んようになったわ。まあ、週末は私も富山の家に帰ってるから、また遊びに来て。我が家に泊まって物語を書いてほしいな。

原田　では今度、本当にお邪魔します！　ぜひまた、ゆっくりと。

（2017年4月4日　東京・イセ文化財団コレクション・ルームにて）

伊勢彦信

【インタビューを終えて】

伊勢さんに初めてお目にかかったのは、20年以上もまえのこと。私はその頃商社でアートコンサルティングをしていたのだが、富山の企業経営者でとてつもないコレクターがいると聞いていた。誰がなんと言おうと好きなものは好き、というポリシーはそのときから不変だ。イセコレクションがパリで紹介されるのは、日本のすばらしいコレクターを世界が知るチャンス。曲げずに、こつこつ、末永く。コレクターの真髄が伊勢さんにはある。

リシャール・コラス

Richard Collasse

シャネル日本法人代表取締役社長／小説家

1953年、フランス南部オード県生まれ。1962年から9年間、一家でモロッコに暮らす。1975年、パリ大学卒業後、在日フランス大使館に勤務。1979年、ジバンシィに入社し、2年後、日本法人の代表取締役に就任。1985年、シャネルに入社。1995〜2018年、日本法人代表取締役社長。2006年、半自伝的小説『遙かなる航跡』を刊行。同年にフランスのレジオン・ドヌール勲章シュヴァリエを受章。2008年に旭日重光章を受章。2014年にフランスの国家功労勲章オフィシエを受章。2019年より日本法人会長。

原田　コラスさんの小説には日本語、フランス語、両方で書かれたものがありますが、日本語はコラスさんにとってどんな言葉ですか？

コラス　言葉というのはお互いを理解しあうための手段ですけど、日本語だけが世界で唯一、お互いを理解しないためにできた言葉だと思っています（笑）。非常に多くのニュアンスを含んでいる。フランスからこちらへ若い人が来る時はいつも、日本で「はい」と言われたからといって安心してはいけない、そこからいろんな問題が始まるんだよと言っています。日本語は構造的、文法的にはけっして難しくないのですが、日本人の頭の中が難しい。長い歴史のある島国で育まれてきたもので、私は未だに理解できていません。（日本人の）妻と一緒にもう何十年と暮らしてきているのに、まだまだわからないことだらけです。

作家になりたくて

コラス　私は15～16歳の頃には三島由紀夫に憧れました。そして夏目漱石や太宰治。太宰は5回ぐらい自殺しようとして失敗していますよね。私にはそういう気持ちがなんとなく理解できる。私自身には自殺する勇気なんてないんだけれど。日本の優れた近代文学者の半分ぐらいが自殺しているんじゃないですか？　原田さんは大丈夫ですか？

原田　（笑）。私はフランス文学で一番影響を受けたのはマルグリット・デュラスです。パリに行った時、ゴンクール賞の審査会が行われるレストランに行って、審査会が行われる会議室に入れてもらったことがあります。そこにデュラスのプレートの付いた椅子があって、感激しました。フランスではよく記念プレートが作られますよね。町角にも、ここに誰が住んでいましたというプレートがある。たとえばリュクサンブール公園の近くを散歩していたら、ここにガートルード・スタインが住んでいましたというプレートを見つけて、はっとしたり。

コラス　そういえば気付かなかったけれど、日本にはないですね。

原田　特に東京は空襲で一度焼けてしまった町で、その前に震災もありましたし。それに比べるとパリの町並みは19世紀半ばからずっと残っている。だから町自体が記念碑的で、ミュージアムの中を歩いているような気持ちになります。話は戻りますが、私はコラスさんの『遙かなる航跡』を拝読して、三島の『午後の曳航』に似ていると感じました。

コラス　そんなことを原田先生に言っていただけるなんて、嬉しいです。私は子供の頃からとにかく本が好きで、一番の表現手段が、書くことでした。母に言わせると、普段は騒々しい悪ガキなのに、突然静かになってリシャールはどこにいるんだろうと探すと、決まって本を読みふけっていたらしい。私は怠け者なので、自分が一番簡単にできることで生きていきたい、作家になりたいと思っていました。フランスには高校を卒業する時にバカロレアという試験がありますが、フランス語や哲学、論文は勉強しなくても100点だった。でも数学は0点。だから今も予算を考える時はすごく苦労します(笑)。ただ私はとても現実的でもあるので、作家としてだけで生きていくのは簡単じゃない、仕事をしながら作家になれる職業はなんだろうと考えた。そのひとつが外交官でした。フランスにはポール・クローデルやピエール・ロティなど、外交官や軍士官の作家がけっこういます。それで大学は政治学部に進んで――東洋文学も勉強したのですが――在日フランス大使館に勤めたのです。でも実際に働いてみたら、私は癇癪持ちだし、気に入らないことはすぐに口に出してしまうし、外交官には向かないなと思った。それで民間企業に入って、それからはずっと書く時間がなかった。書く勇気もなかったかもしれません。初めての小説を出版した時は、失敗したらもう書くのはやめようと思っていました。実際、仕事をしながら時間を見つけて書くのは大変です。今度、フランスで私の5冊目の小説が出ますけど、苦労しました。それでも結局、小説を書くのは楽しい。私は言いたいことがいつもいっぱいあるから、ふだん自分の部下に言えないことは本の中で言っています（笑）。

仕事と執筆と

原田　お忙しいお仕事と執筆の両立、オンとオフの切り替えは大変ですよね。

コラス　仕事の方のスイッチはすぐに切れますね。つまらない会議の時は、ぽーんと自分の空想世界に飛んで行って、これから主人公に何をしてもらおうかなとか考えてしまう。あ、これは部下の前で言ってはまずいですね（笑）。でも、それで実際にパソコンの前で書き始めてみると、主人公は全然違うことを始めたりします。

原田　それは私にもよく起きます。登場人物が勝手に動き出して、オートマティックに書いているような状態になることが。

コラス　自分の意思で登場人物を無理やりひっぱっていくのはあまりよくない。何らかの力によって書かされているような時の方が、興奮して、いいものになる。それから、本当はキーボードではなく手で書きたいです。今はデータで入稿する必要があるから無理だけど、リタイアしたら原稿は手で書きたいと思っています。

原田　モンブランの万年筆を使っていらっしゃるとのことですが、私も去年、伊東屋さんでモンブランの万年筆を買って、その使い心地がすごく滑らかで、手書きの気持ちよさに気づきました。

コラス　私は10歳でカトリックの洗礼を受けた時にプレゼントしてもらったのがパーカーの万年筆だった。以来、ずっと万年筆を使っていて、今も背広の内ポケットに何本か入っています。手紙のサインや誰かにちょっとしたメッセージを送る時は全部万年筆。マイスターシュテュックやパイロットなど、いろいろあります。筆記用具は万年筆か鉛筆。性格的に自信がないから、いつでも消せる鉛筆がいいのかも（笑）。

それに、万年筆にインクを入れたり鉛筆を削ったりする時間が好きです。あと漢字には書き順があるから、リズムが生まれますよね。書道はやってみたい。

原田　本当にお忙しいと思いますけど、コラスさんの人生に書くという行為があって本当に人生のプラスになったんじゃないでしょうか。

コラス　私はそう思うけど、社員は恥ずかしいと思っているかもね（笑）。以前、フランス商工会議所の会頭をやっていた時は、初めての小説が伝記的なものだったから、お前は自分を丸裸にして、本当に勇気があるなって言われました。私の母親は、小説に書かれていることはすべて本当のことだと信じています。

原田　私の母も、私の小説を読むと「あなた、こんなことがあったのにどうして教えてくれなかったの？」って言います。でも文学賞の選考委員の方に「原田マハさんにはこれからも華麗な嘘をついていただきたい」と言われた時は、嬉しかったです。私はいつもフィクションとノンフィクションを混ぜて書いているので、虚実皮膜で、どこまでが嘘でどこからが本当かわからないとよく言われます。最新刊の『アノニム』では、ジャクソン・ポロックの未発表作品が見つかったというとんでもない嘘を書いたのですが、そうしたら先日、アメリカのとあるガレージでポロックの未発表作品が見つかったというニュースが入ってきて、編集者に「マハさん知ってたんですか?」って言われました。まったくの偶然ですが。

コラス それはすごい。私も今回、新作を書いていたらおもしろいことが起きました。最初は一人称で書いていたのに、突然、三人称にしようと思って書き直したのです。それをフランスの編集者に言ったら、「それこそ本物の小説家だ」と言われました。一人称で書くと、読者は登場人物をその作者と同一視しがちですよね。だけど、三人称で書けば、登場人物はコラスとは別ものだと思える。ただ、実は違う人だからこそ安心して自分を投影できるところはあって、だから今度の小説には家族にも友人にも隠してきた自分のことが一番出ると思う。楽しみだし、怖くもあります。

マドモアゼルのスピリット

コラス 私はこの会社に33年いますけど、非常に自由にやらせてもらえて、すごく幸運だと感じています。クレイジーなアイディアを出すので、オーナーには、コラスは一人ならいいけど二人いたら会社がつぶれると言われています。シャネル・ネクサス・ホール(シャネル本社ビル内にあるスペースで、若手音楽家の演奏会やアーティストの作品展示を企画運営）の企画や、コルベール委員会（フランスのブランド企業が合同で若手アーティストを発掘・育成するプログラム）の活動などもやらせてもらっています。コルベール委員会と東京藝術大学のコラボ企画を藝大で発表しようと考えた時、周囲は絶対に無理だと言ったんですよ。でも実現した。いつもそうですが、私は常にプランAしか出さない。Bはない。リスクの高いことに挑戦して、自分にプレッシャーを与えて、それが実現できるとカタルシスがあります。

それに、自分の名前で小説を出せたのも、この会社にいたおかげです。会社はすぐOKしてくれたし、自分の中に二重の世界があることを、家族にも社員にも、あるいは私のことを知っている消費者にも知ってもらいたくて、本名で出しました。オーナーは、我々の会社に小説家がいるのは誇りだと言ってくれました。

原田　お話をうかがっていると、シャネルを創業したココ・シャネルのスピリットが御社にはずっと通底している気がします。私は雑誌の連載の取材で2年前にマドモアゼル・シャネルのことを詳しく調べましたけど、彼女は20世紀の生んだクリエイターのトップ10に間違いなく入ると思います。

コラス　そのとおりです。彼女は何事も怖がらず挑戦した人だった。ものすごく冒険的。

原田　彼女がいなかったらリップスティックもショルダーバッグも、マリンルックのようなものもなかったでしょう。いま普通に私たちが着たり使ったりしているものはみな、彼女が考案していた。なんて革新にみちたミューズだったのだろうと感激しました。１００年以上前の人なのに、彼女のことを考えると、何を怖れることがあるだろうと、励まされます。私の夢はいつの日かちゃんと自分のお金でシャネルのスーツをオーダーすることです。

コラス　ぜひ！　シャネルの服はただの洋服じゃないんです。ココ・シャネルのスピリットを受け継ぐものです。私がいつも社員に言っているのは、うちに来たお客さまにはいつも満足していただいて、また戻ってきたいと思ってもらえるようにしなさい、ということ。定期的なショーはありますが、それだけでは打ち上げ花火で終わってしまいます。まずはふだんから、心のこもった対応でお客さまに喜んでいただくこと、そして我々の創業者についていかに物語るかということなんです。そして、シャネルは新しいことをしなければなりません。私はずっと前から自動販売機での販売を考えていたんだけど、そんなことを言い出したら馘(くび)になるだろうと思って黙っていたんです。でも3〜4年前から自動販売機も変わってきた。スクリーンが付いているでしょ。若い人たちはスマホでもタブレットでもスクリーンと対話することに抵抗がない。だから我々の自動販売機も新しいお客さまと対話できるようにしたらどうかと提案しました。それで商品が落ちて出てくるんじゃなくて上がる、ペーパーバッグに入る、どうぞと言いながら出てくるリップスティックの自動販売機を3年近くかけて開発しました。いま、ギンザ シックス地下1階の化粧品売り場に「リップゲート」という名称で設置してあります（現在は終了）。これはフランスの本社にも好評でした。こういう思いきったことは他のブランドにはできません。これはココ・シャネルのスピリットなんです。彼女はパンツをはく女性がいなかった時代にパンツ・スーツを作った、短い髪の女性がいない時代に自分の髪を切った。シャネルは常に新しいことをしていきたい。消費者はいつでも新しいものを吸収できる準備ができているのですから。

原田　日本も伝統的なものを尊重しながら、ハイテクの世界で非常に優れたクリエイターを輩出していますよね。シャネルも新しく革新的である一方で、手仕事のギルドを大切にされている。

コラス　職人は我々の核心部にあります。一所懸命心をこめてものを作る人がいなければ、我々は存在できません。この銀座のビルを建てた時、私は何度も現場に来ました。真夜中の3時ぐらいに高いところで、クレーンを使って仕事している人たちがいた。あたりまえですが、ビルは機械が作るのではなく、人間が作ります。朝5時ぐらいにみんなでお茶を飲んでいる時に、その時に仕事していた鳶職の若い人のことを「おまえの今日の動きはよかったなー」って誉めていた先輩がいて、この若者はこれから10年後に結婚して子供ができたら、きっとその子に「これは俺が作った建物だよ」って言いたいだろうなと思いました。それで、この建物を作るのにかかわった人全員、約2500人の名前を彫ったプレートを、1階店舗入口の左端に設置したのです。交通整理してくれた年輩の方の名前も入っています。こうやってものを作る人たちを尊敬するのが、うちのスピリットなのです。

（2017年6月19日　東京・銀座のシャネル本社ビルにて）

リシャール・コラス

【インタビューを終えて】

小説を書いておられるからなのだろうか、はたまたシャネルの社長だからだろうか、コラスさんの話は聞く人の注意を決してそらさせない。興味深いエピソードにあふれ、フランス人らしいエスプリに富み、かつ、日本人でも使わないような日本語がさらっと出てくる。日本の文化を心から愛し、敬ってくださっているのが手に取るようにわかる。かつ、当たり前だがとてもおしゃれでダンディー。これからも日本をかっこよくしていただきたい。日本男子よ、コラスさんに学ぶべし！

佐々木丞平

ささき・じょうへい

京都国立博物館館長

1941年、兵庫生まれ。1970年、京都大学大学院博士課程を修了後、京都府教育委員会事務局技術職員になる。1972年、文化庁文化財保護部に着任。1981年、京都大学助教授に就任、後に教授、同大学院文学研究科教授。1997年、「円山応挙研究」（共著）で國華賞、1999年、日本学士院賞受賞。2005～21年、京都国立博物館館長。2007～17年、国立文化財機構理事長。

原田　私は今、俵屋宗達の小説「風神雷神」を京都新聞で連載しているのですが、連載が始まる直前の昨年6月、《風神雷神図屛風》を保管する京都国立博物館の館長にご挨拶せねばと、こちらにうかがいました。日本美術史の権威に私の荒唐無稽な小説の話をして、後から考えると冷や汗ものでしたが、佐々木館長のお話をもっとお聞きしたいと思い、この度インタビューをお願いしました。まずは、どのような幼少期を過ごされたのでしょう。

佐々木　私は姫路の生まれですが、家はごく普通の日本家屋で床の間があり、絵が好きだった父が季節ごとに軸を掛け替えていたのを覚えています。ただ、絵に対する興味や感動なんて、その頃はいっさいなかった。父の持っていた絵は文人画系のもので、いわゆる西洋のリアリズム絵画ではないので、ヘンな絵だなあと思っていました。中学校ではスポーツ三昧。走り高跳びの選手で、姫路市や兵庫県の大会で優勝していたのです。近畿大会に出るつもりで練習していたところ、調子が悪くて敗退。しかたないので代わりに200メートルのハードル競走に出場したら、県で優勝、さらに近畿大会でも優勝してしまいました。

原田　すごい！　ハードル低かったじゃないですか（笑）。

文人画に惹かれて

佐々木　そんなわけで、高校に入学するとすぐ陸上部に引っ張られて入部。インターハイを目指して練習していたのですが、突然、心臓が悪いからダメだとドクターストップがかかった。それで泣く泣くスポーツをやめたのです。

原田　そうじゃなかったら、選手になられていたんじゃないですか？　でも、佐々木館長のような優れた美術史研究者を得ることができたのだから、日本全体としては、それでよかった（笑）。

佐々木　大学に入る時点では美術史をやるとは思っていませんでした。我々の時代は大学2年生までは教養課程で、語学でクラス分けされた。私のフランス語クラスの担任の教授が、たまたますごく日本文化に詳しい人で、フランス文学もいいけれど、日本の文化もいいよ、日本の美術は面白いから研究してみたら、と言われたのです。その時に、小さい頃の記憶がよみがえってきて、そうだ、日本美術には抵抗がないなと思えました。その先生が、蕪村はいいよ、詩と造形の世界はおもしろいんじゃないかな、と言われた。それで3年生から日本美術を勉強し始めたのです。私は教養課程の哲学の授業が好きだったので、文人画の世界なら、ものごとの深層を摑むことができるんじゃないかとも思いました。文人画は精神性を重んじるし、深層心理をえぐるようなところもある。それで卒業論文は蕪村について書きました。

原田　蕪村の何に惹かれたのでしょう。

佐々木　まず、蕪村の漢詩との接し方に興味があった。漢詩の世界を実に上手に絵画化しています。たとえば《柳蔭騎路図》という屏風絵の一場面。柳の生い茂る長い堤を、想いに耽りながら進む馬上の人を描いていますが、かつては華やかな都があった場所で、過去を回想するロマンティックな詩が書かれている。中国の漢詩の持つ独特の世界と、それを絵で表現しようというせめぎあいがおもしろい。

蕪村にとっては俳句と絵という二つの要素を楽に表現できるのが俳画でした。五七五のリズムと線描がしっくりいった世界。ただしそこにいきつくまでに、蕪村はものすごく漢詩を勉強していています。俳画は当時、新しい表現形態でした。それ以前にももちろん俳画的な絵を描く人はいましたが、日本の17～18世紀、言語的表現の世界と視覚的表現の世界は、ある程度、分断されていました。でも表現というものはつまるところ、根底ではひとつなのだということ、要するに表現概念を拡大したのが、蕪村です。

原田　その卒論を書かれた後に美術史の世界により深く入っていかれた？

佐々木　いちおう卒論は書いたものの、文人画の本質をつかむのは非常に難しかった。より理解しやすい形がないかと考えた時に、円山応挙と出会ったのです。実は応挙と蕪村は、作風は全く違うのに、ものすごく仲がよかった。なぜだろう？　それが出発点でした。自分にはないものを相手が持っていると感じたから魅かれあったのだろうと推測しました。応挙のことを研究すれば、もうちょっと文人画のこともわかるかな、と応挙研究を始めたのです。

　応挙は対象を徹底して正確に描くことで、そのものが持っているエネルギーを引き出そうとします。逆に蕪村は、絵は精神の問題だとしているので、考え方はまったく違う。ただひとつだけ共通点があって、二人とも清の沈南蘋（しんなんぴん）という絵描きが好きで、中国をテーマにした絵を残しています。同テーマでも空間処理などはまったく違いますが。

原田　「蕪村と応挙」という展覧会ができそうですね。

佐々木　実はそれはずっとやりたいと思っているんですよ。

文化財保護の重要性

佐々木　また、大学院生時代には、京都府教育委員会の文化財保護課でアルバイトをしていたのですが、調査しに行った先でびっくりするようなことがありました。個人の家で屛風がお風呂の脱衣所の着物掛けになっていたり、お寺さんでも、非常に粗末に扱われていることがあったり。我々にとっては研究の対象であるものが、このままでは消滅してしまう。研究の前提として、まずは文化財を保護しなければいけないと気付きました。それでそのアルバイトに熱心になってしまって、大学院を出ると同時に、そのまま就職してしまったのです。文化財は人間と同じで、お医者さんの診断を受けなければなりません。予防医学も治療も、時には大きな手術＝修復も必要です。研究も保護もどちらも大切なのです。

原田　いまお話をうかがっていて、「ドリトル先生」のことを思い出しました。動物の言葉がわかるドリトル先生と、文化財の声を聞く佐々木館長はどこか似ている。館長の前に文化財がずらっと並んで、私の声を聞いてくださいと言っている場面が思い浮かんでしまいました。私もよく講演会などで言いますが、文化財とは私のものでもあなたのものでもなく、私たちのものですよね。だから美術館の入場料で、私たちは私たち共通の財産である文化財を保護して次の世代に伝えている。人間には有限の生しかないけれど、美術品は、それを護って伝えていこうという意思がある限り、永遠に時を超えます。そして、佐々木館長はその後、応挙研究を続けて、その第一人者になられたわけですけど、ずばり応挙の最大の魅力とは、何ですか？

佐々木　彼の人格の中に「無私」があるところです。これがないと本当の意味での写生なんてできません。「私」が出てきたら、伊藤若冲になり、長沢芦雪になります。応挙は「私」を完全に滅却しているから、同じ写生といっても若冲とはまったく違う。若冲は個性ぷんぷんとしている。応挙には、そういう意味での個性はありません。そうでなければ本当のものは描けないという考え方です。応挙がどういう学問をやってきたかなどは詳しくはわかっていませんが、彼を育てた人のひとりに園城寺（おんじょうじ）円満院の祐常（ゆうじょう）という門主がいて、進取の気性に富んだ人でした。仏教の教えをわかりやすく民衆に理解させたいと、応挙に自分の発想を伝え、描いてもらったのです。

原田　漫画家と原作者みたい（笑）。

佐々木　応挙は14〜15歳頃から玩具屋に勤め、御所人形を作ったりしていたので、立体物の触覚性なども平面で表現できた。当時、中国から入ってきた「眼鏡絵」という、透視図法で描いた絵をいちど鏡で反転させ、それをレンズを通して覗く玩具があったのですが、同じようなものを作ったりもしていたらしい。

　この玩具屋は御所に出入りしていて、応挙の御所人形は当時の皇后・青綺門院（せいきもんいん）にとても気に入られた。それで皇后の弟でもあった祐常とも関係ができました。

原田　祐常はプロデューサー的な存在だったのですね。美術史上は現代に近づくほど、個性が重要視されますが、個性を消すというのは、むしろ非常に日本的な個性のように思います。

佐々木　そのとおりです。応挙が出てくるまで、日本では、絵というものはあくまで頭の中で構成した作り絵が大前提だったのです。絵じゃないと言われた応挙の絵は、当時としては大きな個性です。私の理解としては、応挙が存在していなかったら、明治以降の近代絵画というものはなかった。

京博も国宝も120周年

原田　館長はそのような研究もされつつ、今は京都国立博物館の館長もされて。リニューアルオープンしてから3年。10月3日からは開館120周年記念の「国宝」展も始まりますね。

佐々木　国宝を指定する古社寺保存法という制度も1897年にできたので、ちょうど120周年です。明治維新には西洋文明を取り入れるといういい面はありましたが、多くの日本人が伝統や文化に無関心になっていった時代でもありました。廃仏毀釈が起こり、文化財にとっては危機的な状況でした。先日、クロアチアのドゥブロヴニクへ行く機会がありました。今は綺麗な観光都市ですが、お城の中で見た23年前の内戦の記録は、悲惨でした。図書館の本も全部焼けてしまった。戦争が起きるとまず文化財が被害を受けます。図書館や博物館が健全に機能しているということは、平和と幸福の象徴なのだとつくづく思いました。紛争もイスラム国も、他人事ではありません。現に日本でも150年前に文化財破壊をやっていたのですから。

原田　国宝指定の制度は誰の発案だったのですか？

佐々木　私は、フェノロサの入れ知恵だったと思います。フェノロサが、文化財を調査することや保護することを岡倉天心に教えているのです。それで岡倉を中心に文化財の調査局が全国にできる。10年間調査した結果として、奈良や京都に博物館ができたのです。

原田　国宝や重要文化財というレッテルを貼ることは、愚かな行為に走らないよう、文化財を残していくための非常に日本的な知恵だと思います。

佐々木　今回の国宝展はいわば原点に返って、博物館の役割とは何かを考えるいいチャンスだと思います。日本の文化財のエッセンスに触れて、その裾野の広さをわかっていただきたい。京都での国宝展は実に41年ぶりです。また、今後は日本だけでなく、もっとグローバルな視野で博物館を考える必要がある。２年後の２０１９年９月にはこの京都で国際博物館会議が開催される予定で、１２０か国から４６００人近い博物館関係者が集まります。日本の博物館・美術館関係者を巻き込んで、ぜひ日本美術の素晴らしさを国際発信したいし、博物館・美術館にとって平和というものがどれだけ大切かということも訴えていきたいと思います。

原田　アートは文字にできない、目に見えない力を秘めているからこそ、次の世代に伝わっていく気がします。今の若い人が、文化財を古くさいものとして蓋をしてしまうというようなことはあまり危惧する必要はなくて、ちゃんと感じてくれている。ただ大事なのは、博物館や美術館に足を運んで、本物を見てもらうことですよね。

佐々木　そして、目で見ているのは氷山の一角であって、実はその水面下に隠れている部分がすごく大きいということ。自分でそこに関心を持って解きほぐしてゆくと、楽しめる要素はたくさんあります。関心を持つということは、見えない部分に光を当てるということでもあるのです。

原田　また、京都で見るという体験も重要ですね。応挙や蕪村が暮らした場所で作品を見るのは、気持ちが違います。そして、仏像などの仏教美術に関しては、もともと京都のお寺さんにあったものも多いわけですから。

佐々木　ものをくまなく見たければ、京博では照明もきちんとして見やすくしてあります。もともとどういう景観のどういう環境の中にあったかということに興味がわけば、その場所にも行ける。京都ではその両方が可能です。

原田　美術館に照明を当ててもらうだけではなく、自分自身が作品に光を当ててあげるんだという気持ちを持って美術館を訪ねれば、受動的ではない、能動的な体験ができますね。

（２０１７年８月28日　京都国立博物館にて）

【インタビューを終えて】

新聞連載小説「風神雷神」は京都国立博物館がオープニングの舞台になっている。書き始める直前に佐々木館長を訪問し、「どんなふうに絵と向き合うのですか」と質問してみたところ「呼吸を合わせる」とおっしゃった。特に応挙の絵には独特の呼吸があり、それをなぞるように見るのだと。館長は日本美術史の権威だが、心から絵師を尊敬し、美術を愛するひとりの人間なのだと心を打たれた。私も絵の中の密やかな呼吸に耳を傾けてみよう。

佐々木丞平

鈴木郷史

すずき・さとし

ポーラ・オルビスホールディングス代表取締役社長／
ポーラ美術振興財団理事長

1954年、静岡生まれ。1979年、早稲田大学大学院修了後、本田技術研究所に入社。1986年、ポーラ化粧品本舗（現・ポーラ）に入社。1996年、ポーラ化成工業代表取締役。2000年、ポーラ化粧品本舗代表取締役社長およびポーラ美術振興財団理事長。2006年、ポーラ・オルビスホールディングス代表取締役社長。2010年、ポーラ代表取締役会長。2011～21年、国立西洋美術館評議員。2016年よりポーラ会長。2023年よりポーラ・オルビスホールディングス代表取締役会長。

原田　私はポーラ美術館が大好きで、2年前に大涌谷の火山活動が活発化して箱根の観光客が減った時は、勝手に応援に駆けつけてしまいました。美術館の母体であるポーラ美術振興財団の鈴木理事長には、会社のこともアートのこともいろいろうかがいたいです。理事長はいつも好奇心いっぱいで、しかもその好奇心を形にするために自分でアクションを起こす大人、という印象があります。

鈴木　大人でよかった（笑）。僕の場合、自分の好奇心を形にできる機会が多くて幸運です。扱っている化粧品は、現実的な効果効能もありながら、人の気持ちに訴える文化的な商品。また先代（叔父の鈴木常司）のおかげで、財団の理事長という立場で好奇心を発揮して、お客様に喜んでいただける場もあります。

印象派には興味がなかった⁉

原田　子供の頃から好奇心旺盛だったのですか？

鈴木　はい。ただ、勉強にはまったく興味がなく、成績も悪くて、小学校からエスカレーター式に上がれるはずだった中学校に落ちたんですよ。クラスで僕一人だけ。それで、これじゃだめだと気付いた。創業家に生まれたこともあって（創業者は祖父の鈴木忍）、小さい頃から無言のプレッシャーのようなものは感じていたんです。自分をしっかり持たなきゃいけないというのは、小学校5年生、10歳の時に、西田幾多郎の書物に出会って思いました。1964年、東京オリンピックが開催され、新幹線が通った年で、ホンダがF1グランプリに日本から初出場しています。本田宗一郎さんと仕事をしたいと強く思いました。それが僕にとっての転機の年です。

先代は原宿のセントラルアパートに住んでいて、僕は小学校が休みになると東海道線に乗って遊びにいって、よく泊まっていた。いろんな文化人が集まる場所で、そこで先代のコレクションを垣間見ることもできたのです。たとえば今、ポーラ美術館の収蔵庫に入っているファッツィーニのブロンズの裸婦像が、2階に続く踊り場にぽつんと置いてあって、不気味だなと思いました。その記憶はすごく鮮明です。他にも浜口陽三の暗い版画があって、怖くてしかたなかった。

原田 小学生の時に出会った絵の衝撃って、すごく残りますよね。子供はピュアだから、大人には見えないものが見える。私も10歳の時に大原美術館でピカソの絵を見て、なんて下手くそなんだろうと思ったけれど、その後、彼は自分にとってとても大切なアーティストになりましたから。

鈴木 その頃は、好き嫌い、いい悪いも全然わからなくて。どちらかというと、より楽しみだったのは、叔父が連れていってくれる東京のレストランと、キデイランド。当時は、大人も楽しめるような玩具、真鍮やステンレスでできた蒸気船などがあったんです。アルコールランプに火をつけて蒸気の力で歯車を回すようなもの。それが欲しくてたまらなかった。後年はバウハウスにも関心を持つようになりました。

原田 中高生の頃ですか？

鈴木 いや、ホンダに入ってからです。頻繁にイタリアを訪れ、電車で足を延ばすうち、ヨーロッパではデザインとアートとクラフトにあまり境がないと感じるようになりました。建築家がファッション・デザインをしていたり、彫刻家になったり。そういうものが一緒になったバウハウスに興味を持つようになったんです。

正直、先代の印象派のコレクションには、20代の頃は興味がなかった。「会社の経営者って、こういうのが好きだよね」って。

原田 バッサリ切りましたね（笑）。

鈴木 カンディンスキーやクレー、マレーヴィチなんかのほうがいいと思っていたんですけど、ホンダを辞めてポーラに転職した後、毎日見ていると、印象派もいいと思えてきました。調べてみると、実は印象派も19世紀後半当時のアヴァンギャルドじゃないですか。なんだ、好きな世界じゃないかって（笑）。

組織運営におけるエントロピー

原田 大学では熱力学におけるエントロピーを研究していらしたとか。

鈴木 大学3年生でゼミを選ぶ時に、このまま自動車工学をやっても僕はホンダにふさわしいエンジニアにはなれないと思ったんです。もっと社会とつながる自然の営みや法則に関係することをやろうと。当時は第一次オイルショックで、省エネブームでした。省エネ対策で役立てる人間になった方が、ホンダにアピールできると考えた。放熱を再利用できるような熱交換装置を開発しようと、学部で2年、大学院で3年研究しました。結果的に4件の特許を取得して、ある会社がそのうちの2件を買ってくれました。その会社から受託研究費をもらっていたから、一般的なサラリーマンよりもいい収入だったんじゃないかな。それで、ホンダの原宿本社に面接を受けに乗りこんでいって、僕を採用しないとホンダは損をしますって言ったんです。

原田　その熱意が伝わったんですね。理事長がホンダにいらした時、宗一郎さんはご健在だったんですか？

鈴木　ええ。ところが僕、ここ一番というところで大失敗しまして。自分が設計した箇所をオヤジさん（本田宗一郎）に説明するタイミングがあったんですけど、ボンネットのロック部分のブラケットを樹脂で作ってみたら、オヤジさんがボンネットを閉めた時にそれがぽろっと壊れて落ちたんです。その時は「何で？　俺の人生って何なの？」って思っちゃいました。言い訳はいろいろあったけど、すぐ作り直すと言ったら、オヤジさんに「それはいいけど、こんな鉄の塊に対して樹脂の部品はバランスが悪いだろう」とズバリ言われて、そのとおりだ、と納得しました。まさに木を見て森を見ず、だった。いい勉強になりました。

ただ僕は天邪鬼なんで、木を見られない人間には森も見えない、と思っているところもあります。木をよく見られるようになれば、森も見えます。木ってつまり、人間です。だから僕は、まずは突き詰めろ、と言います。いきなりジェネラリストを目指すのではなく、まずはスペシャリストを目指せ。その先にはかならず人間が、人の心理や認識、行動が見えてくる。僕には世界平和の実現はできないかもしれないけど、自分の近くにいる美術や化粧品の好きな人たちを喜ばせることができるなら、徹底してやりたいんです。

僕がホンダに入った時に最初に携わったのは車体設計で、熱力学が直接役立ったわけではありません。ただ、エントロピーの幅の広さは後で知ることになりました。組織運営においてもエントロピーというものは絶対にあるんです。車にガソリンが必要なのは、エネルギーというものが保存されないからなんですけど、燃え尽きた燃料はゴミとしてただ捨てるだけではなく、熱や人の知恵を加えることで有効利用できる。要するに、常に開放の状態にすることが大切なんです。

原田　新陳代謝することで他者ともつながっていけますよね。私も自分の小説はアートへのよき入口、よき出口であってほしいと常々思っています。私の小説を読んだ後に興味がわいたら、実際に美術館に行ってもらうことで、やっと物語が完結する。

鈴木　美術館側からすると、ここで完結してくれるな、ここも入口だぜって言いたいですね。それがわかるアンテナを磨いていてほしい。今年になって、創業100周年（2029年）に向けてのグループとしてのミッション・ビジョンを打ち出したのですが、その中心に「感受性のスイッチを全開にする」を据えました。

アートはビジネスの武器になる

原田　そうした哲学に基づいて会社を引っ張ってこられ、目に見える形にされたひとつの例がポーラ美術館だと思います。今度は美術館についてうかがいたいんですけど、核となるコレクションは先代のものですよね。

鈴木　その通りです。先代は寡黙な人だったので、アートに対してどんな思いを抱いていたかはわかりません。ただ、僕がポーラに移って2～3年して、新規事業開発室の室長をやっていた時に、社員の保養所用にと会社が以前購入していたこの箱根の地に、美術館を設立するという案を提出したことがありました。その後、僕は別の部署に異動したので、美術館の設立にはノータッチになりましたけど。先代が2000年に逝去された後、インテリアの素材や色、備品に関してなどはすべて僕が決めました。

原田 直島はあるものの、こういうタイプの美術館は実は日本にはこれまであまりなかった。箱根は世界にもっと知られていい、日本を代表するリゾート地だと思います。美術館が森林と一体型になっていて、お客さんはリフレッシュしながらアートを楽しめます。

鈴木 箱根はちょっとクラシックだけど非常にハイクオリティな土地。モナコやニース、カンヌなどリゾート地にいい美術館があるでしょ？　南仏サン・ポール・ド・ヴァンスのマーグ財団美術館とか、そういうものをロールモデルにしました。

原田 先代がお持ちだった印象派の絵画や化粧道具のコレクションも、キュレーター目線を活かした展覧会も、素晴らしい。それに、海外でビジネスの話をする時に、美術館を運営する財団の理事長という肩書は効きますよね。企業が文化に貢献している、あるいは本人がコレクターだったりすると、海外では非常に尊敬される。日本のビジネスマンにもそうあって欲しいと思います。オジサンたちは居酒屋でゴルフの話はするけど、アートの話はできないというような寂しい状況……。

鈴木 お、きましたね。財団では、いよいよビジネスマン向けのアート研修を開発するんです。会社にとってアートや美意識が大事になってきていること、子供の段階での美術教育がＩＱに反映されていることもわかってきている。それを牽引できる組織がないのなら、うちでやろう、ということになりました。美意識って別に、洋服のセンスのことじゃない。一人の人間としてのスタイルや好奇心、あるいは常にこのままではいけないと思うような心地よい不足感、です。

原田　日本のビジネスマンも美しいものに興味を持って、自分の好奇心を養っていけるといいですね。それは「クールジャパン」なんて言葉では言い表せないもの。ビジネスマンが文化で武装して海外で戦ってこそ、アートで「侍ジャパン」になれる。

鈴木　海外では、人間的な共感があってこそビジネスの話になることが多くて、そうでないと契約は長続きしません。特にヨーロッパはオーナー企業が多く、非常に文化レベルが高い。この間、フランスの取引先の香料会社の社長にお勧めのアーティストを紹介したら、すごく気に入って作品を購入されました。今度新しい工場ができるので、その入口に飾りたいと、設置する場所までイメージできていて、さすがだなと思いました。僕も、出勤しているフロアのエレベーターのドアが開いた時に、廊下に展示してある印象派の絵の見え方が毎日違って、自分のその日の気持ちを表していると感じたりします。

原田　そんな恵まれた会社、なかなかないですよ（笑）。美術館は今年で15周年を迎えられ、新たに現代美術のギャラリーを作られましたね。

鈴木　印象派の名画をそろえた美術館としてのアイデンティティを前提に、文化施設としてもう少しエンターテインメント性を出していきたい。これまで財団が在外研修でサポートしてきたアーティストは300人を超えます。現代美術ギャラリーは彼らの発表の場で、来館者には財団の活動をもっと知っていただきたいと思っています。

（2017年9月3日　箱根・ポーラ美術館にて）

【インタビューを終えて】

鈴木理事長が現れると、場の空気がぱっと華やぐ。ダンディーぶりもさることながら、何かおもしろいことはないだろうか、次に何をみつけようか……という好奇心のアンテナがめまぐるしく動いているのがわかる。美と知のエントロピー循環が、鈴木理事長の内側と周辺で常に起こっているのだろう。ポーラ美術館は先代のコレクションを元に美と知の発信を続けている。理事長はいつまでも少年の心を忘れないカッコいい大人。次はどんな美的・知的体験を私たちに与えてくれるのだろうか。12年後のポーラ創業100周年に向けて、ますます楽しみである。

鈴木郷史

藤森照信

ふじもり・てるのぶ

建築史家／建築家

1946年、長野生まれ。東北大学、東京大学大学院で建築を学ぶ。1986年、『建築探偵の冒険　東京篇』で、サントリー学芸賞受賞。1997年、赤瀬川原平の個人住宅「ニラハウス」の設計で、日本芸術大賞を受賞。1998年、日本建築学会賞（論文）を受賞。2006年、ヴェネチア・ビエンナーレ国際建築展日本館コミッショナーを務める。2016年、江戸東京博物館館長に就任。「ラ コリーナ近江八幡　草屋根」で2019年度日本芸術院賞を受賞。

原田　本日は藤森先生の最新作、9月に竣工したばかりの「低過庵（ひくすぎあん）」でのお茶にご招待いただき、どうもありがとうございます。樹上の茶室「高過庵（たかすぎあん）」はたびたび訪ねてはいたのですが、中に入ったのは初めてです。

藤森　低過庵は高過庵があったから作ったんだけど、竪穴住居っぽくしました。もちろん本当の竪穴住居ではなく、茶室として設計。これは茅野市の「縄文アートプロジェクト２０１７」の一環でもあって、ワークショップ形式で市民の方々と一緒に作りました。

原田　屋根は銅製ですか？　金属なのにすごく温かみがあります。

藤森　そうです。銅以外の金属板で私の好みに合うものがなかなかない。銅を手で揉んだものを葺いています。

原田　中に入ると、木と漆喰による壁と天井はボーダー柄で、驚きがありますね。

藤森　建築は内と外とを完全に分けた方がいいと思ってる。モダニズムは、建築は内と外に分けちゃいけないと言いますけどね。ところで、お茶を飲み終わったので、そろそろ。

――と、立ち上がった藤森氏、屋根の内部に付いた紐を引っ張り、屋根をスライディングさせて開ける――

原田　うわ。青空がまぶしい！　気持ちいいですね。

藤森　建築の中から縁（へり）のない状態で空を見てみたいと思ってこういう仕掛けを作りました。ジェームズ・タレルの作品と同じ発想ですけど、イタリアの古い建物で、同じような中庭を見たことがあります。中庭なのに屋内っぽさもある空間でした。屋根は重いので、スライディング以外では開閉不可能。高過庵も低過庵も、基本的にはひとりで管理できるように作ってあります。

原田　先生の設計された建物には人の営みが感じられて、私は好きです。近代建築はある時点からスケールアウトして、人知を超えてしまったようなところがある。でも個人的には、地に足がついた建築やアート、人間を見つめたいという思いがあります。

何ものにも似ていない建築

原田　ところで建築史家だった先生が１９９１年に初めての建築作品、神長官守矢史料館を設計されることになったいきさつを教えてください。

藤森　私がこの村の出身なので、史料館を設立する市役所を通して、守矢さんに頼まれたんです。最初は、建築家の友人を紹介しようと思った。たとえば諏訪大社と縁が深いのは下諏訪育ちの伊東豊雄さん。でもこの土地とは合わない、と考えた。安藤忠雄さんや石山修武さんも古い友人ですが、とても合わない。それで自分でやることにした。私はこの土地の信仰にもなじみがありましたから。ただ、この歴史的な環境を壊すわけにはいかないから、現代建築では作れない。それで最初に思いついたのが、本棟造りという地元の民家の様式。ところが、夜に本棟造りの図面を描くといいなって思うんだけど、３日ぐらい後になって見ると、ものすごく自己嫌悪の気持ちがわいてくる。絶対やっちゃいけないことをやっている気がしてきた。歴史に媚びているというか、それがすごく嫌で、完全に行き詰まりました。考えてみれば本棟造りは江戸時代に成立した民家の様式で、縄文文化を継承している守矢家のものを、江戸の様式でやるわけにはいかなかった。江戸時代の家屋も、現代建築もダメで、困りはてた。そこから抜け出せたのは、吉阪隆正という建築家の若い頃の文章のおかげです。私は建築史を勉強してきたせいで、自覚はなかったけど、世間の目を気にして身動きが取れなくなっていたんですね。吉阪さんの文章を読んで、そういう姿勢そのものが間違っている、と言われたように感じたんです。それでいったん世間と建築界の目を全部忘れて、自分が本当にやりたいことを考えてみよう、と思った。過去や現在の何ものにも似ていないことをやるしかないと自覚して、それが後に、「縄文的」と言われるようなものにつながったんです。

自分の親や地元の人に見てもらったら、最初のうちは不評で、せっかく自治体が予算をつけてくれたのに、なんでこんなボロ小屋みたいなのを建てたのかって言われてね。板は製材してないし、土の壁はボロボロ。でもそれを聞いた時に私はむしろ、うまくいったと思ったの。ボロ小屋っぽいということは、周りの民家と同化しているということ。風景に矛盾なく溶けこんでいて、でも何ものにも似ていないものができた。

原田　長い悩みの果てにあの建築を生み出されたんですね。意図しないで「縄文的」と言われるものが表出したのだとしたら、それは表現者として非常にユニークなものを先生がお持ちだったから。そして、いい意味で最初から風化しているような建築というのは、やはり建築史家だからこそできたことなんじゃないでしょうか。

藤森　友人の建築家たちに、自分たちの真似をしたと笑われるのは、絶対に嫌だった。それにこれまで、評論的なことをやってきてものを作った人というのは、いることはいるんだけれど、作った途端にその人の言葉への不信感が湧くようなものになるんです。あんなに立派なことを言ってたくせに、この程度のものしか作れないのかって。実は、そう批判された本人に話を聞いたことがあります。そうしたら、はっきりと、「言うことと作ることは全然別だと思ってください」と言われました。そう言われても、一緒にするよね（笑）。

原田　難しいですよね。建築史家と建築家というのは、キュレーターとアーティストみたいな立ち位置ですから。キュレーターがアートワークを作れるかと言えば、絶対にできない。

「かわいい」と言われて

原田　失礼を顧みずに言わせていただくと、私、先生の建築の、いい意味で力の抜けた感じが好きです。建築って、大きなお金が動くし、施主の意向もある。時間もかかるし、たくさんの人が関わることになるから、力が入ってあたりまえなんですけど、先生はそれを楽しんでいらっしゃる。それが観る人、使う人に親近感を覚えさせるんじゃないかと。

藤森　子供の頃から、陣地を作って遊ぶのが好きでしたね。あのね、「基地」って言うようになったのは、南極観測隊が出てきてからなんですよ。私らの時代は戦場の、武士の言葉である「陣地」って言ってた。友達と一緒に木の上に砦みたいなものを作ったり。そういう少年っぽいイメージの延長上で作っているところがある。だから、私の建築を女性に「かわいい」って言われた時は、本当に腹が立った。かわいいって言うな！って。でも冷静に見ると……けっこうかわいいかな。

原田　触角のようなものが伸びていたり、コロンとしたオーガニックな形態だったり、小ささとか、そういった親しみやすさが「かわいい」という言葉を引き出すんだと思います。先生の建築作品には一貫してヒューマンスケールな部分とノスタルジックな部分が同居してますよね。少年時代に体験された野山の記憶、茅野の四季折々の風景が先生ご自身のＤＮＡに入っていて、そうしたものが織り込まれているような。

藤森　それは決定的にありますね。ただ、いつも、自分ではどう判断しているのかが、未だにわからないんですよ。つまり、形や材料にはたくさんの選択肢がある。夜考えて、朝起きるとダメだと思うことを繰り返す。それでも最終的には「これでいいんだ」と決める。結果的には後になって他人に言われて「そうか」って思うことが多いんです。特に私の場合はこれまで、「路上観察学会」の赤瀬川原平さんや南伸坊さんといったデザインのプロがよき観察者かつ批評者になってくれていました。

原田　素人の私たちが見ていても、一貫した「藤森節」みたいなものを感じますよ。先日、水戸芸術館で大きな展覧会をされましたけど、みなさんのリアクションはいかがでしたか？

藤森　磯崎新さんがものすごく喜んでくれて、びっくりしました。磯崎さんと言えば、私にとっては神様みたいな人。いや、神様まではいかないかな。

原田　その下の大天使ぐらい？（笑）

藤森　ええ、その大天使が関心を持ってくれたのは嬉しかったし、ちゃんとみなさんに伝わっている感じがした。これまで美術館での建築展では、うまくいかない例ばかり見てきました。だって、どこにも完成品がないでしょ。写真はまだいいけど、図面なんて、普通の人には数式みたいなものですから、そんなものを見せてもなあって。それを克服するにはやっぱり、作り込みが重要なんです。それで、会場に建築的空間を作りました。能舞台って、元は屋外にあったものが室内に持ち込まれた、外のような中のような不思議な空間。そのようなものを磯崎さん設計のあの空間では作れると思ったんです。なぜならあそこ、天井が高くて真上から自然光が落ちるから。

建築の顔色

原田　建築の素材を展示しているスペースもあったと思いますが、先生はかなり素材にこだわられますよね。

藤森　それはもう。最近思うんだけど、「人の顔色」って言うでしょ。お医者さんが顔色を見てその人の体調を判断する。相手がどう思っているかと考える時も、顔色を見る。化粧品関係でも美白だとか、顔色をよく見せるものが多いじゃないですか。やはり仕上げは大事なんですね。だから、私の仕上げフェチはけっこう本質をついていると思います。モダニズム、現代建築って、まずコンセプトがあって、コンペの時にも仕上げのことなんて書いてありませんけど、実は仕上げこそが大切じゃないかと。建築も顔色から。

原田　確かにこの低過庵も高過庵も、仕上げから感じられるものは大きいですよね。太古の響きが聴こえてきたり、風化したような味わいがあったり。

藤森　結果的には、私は建築史と建築とを、最初から両方一緒にやっていなかったのがよかった。建築史家として同世代の建築家とお付き合いはあったけど、彼らのことはずっと、いっさい書かなかった。40代の初めに、石山修武の「開拓者の家」ができた時に、雑誌から依頼があって初めて現代建築について書いたんです。同世代について書くのは難しいんですよ。基本的に友達失くす（笑）。全体的に誉めても、部分的にけなしていると、本人はけなされた部分しか覚えてないからね。

原田　そもそも建築の歴史を勉強しようと思われたのはなぜなんですか？

藤森　母の実家が大工の棟梁だったんですが、私が小学校2年生の時、新しく家を建てることになって、古い家の横の建物に上諏訪からやってきた棟梁や息子、弟子たちが1年間泊まりこんで仕事していたんです。学校から帰ってくると遊びに行きたいのに、こき使われた。最初は嫌だったけど、大工さんたちが鑿の使い方を教えてくれたりするうち、面白くなりました。村人が総出で萱を下ろしたり、ヨイトマケをやって土台の基礎を固めたり、家の一角に生えていた栗の木を製材したり。

原田　そうしたことが藤森少年にインプットされて、建築史家の道に！

藤森　その結果、職人を尊敬しない習慣ができちゃった。普通、建築家は職業上、職人を尊敬してます。でもちょっと上から目線というか、自分たちとは別だと思ってるところがある。私は自分が職人と同列だと思ってることが、職人さんにはわかるみたいで、いつも現場監督が、職人がこんなに一所懸命になってくれた現場はないですよ、と言ってくれるの。

原田　藤森さんの建築には素人が作業に加わることもありますよね。

藤森　普通の人が建築を手伝うことを楽しむなんて思ってもいなかったから、「路上観察学会」に参加してもらった時にみんなが喜んでいて、驚きました。労働基準法では、事故があるとまずいから、原則的には素人は参加できないことになっています。でも労働基準監督署に届け出た「現場」以外は、現場ではない。つまり施主と手伝う人たちとの間に合意さえあれば、誰でも建築に参加できるんですよ！

（２０１７年11月7日　長野県茅野市・低過庵にて）

【インタビューを終えて】

天衣無縫。藤森先生にお目にかかって最初に浮かんだフレーズである。守矢史料館や高過庵を訪れた多くの人が「うわーっ」と感嘆の声を放つ。こんな建築を作る藤森照信は、きっと人の心に気持ちよくボールを投げ込んでくる、キャッチボール好きの少年のような人ではないかと想像していた。そしてやっぱりそうだった。先生のそばにいると、わくわくする。遊び心を忘れず、個性的であることを誇りにする。そんな大人に私もなりたい。

藤森照信

福武總一郎

ふくたけ・そういちろう

ベネッセホールディングス名誉顧問／福武財団理事長

1945年、岡山生まれ。早稲田大学卒業。1973年、福武書店（現・ベネッセホールディングス）に入社。1986年、同社代表取締役社長。2007年、同社代表取締役会長兼CEO。香川県の直島、豊島、岡山県の犬島を自然とアートで活性化するプロジェクト（ベネッセアートサイト直島）を30年以上にわたって指揮。2004年、直島に地中美術館を開館、直島町名誉町民。2010年から「瀬戸内国際芸術祭」の総合プロデューサーを務める。2023年、福武財団名誉理事長。

原田　直島には年に一度は来ていますが、地中美術館のモネは、何度見ても本当にいいですね。
福武　この場所だからいいんです。東京じゃダメ。僕、東京嫌いだから、まあ、地方の人間の負け惜しみが高じてこんな美術館を作ってしまったんだけど（笑）。僕の集めた作品は僕の代弁者でもある。ここの作品は幸福感を放っているでしょう。
原田　昨晩はベネッセハウスに泊めていただいたんですけど、シーズンオフにもかかわらず、宿泊客が多く、驚きました。外国の方々も増えていますね。
福武　ＢＢＣ、あるいはフランスやドイツの公共放送からも取材されていますからね。日本人はだいたい借景するでしょう。風景を所有するんじゃなくて、利用させてもらう。ヘリコプターやクルーザーに乗って、時々見て回っています。ヘリコプターの免許は60歳過ぎてから取ったんです。

反骨精神

原田　福武さんは先代のお父さま（福武哲彦）もアートのコレクター。幼い頃からアートが身近にあったんですか？
福武　小学校時代から絵を習っていました。図画工作が好きで、賞状もいっぱいもらった。僕が小学校3年生の時に親父の会社が一回倒産したんだけど、絵を習うことを止めさせられることはありませんでした。親父もお袋も、祖父さんも祖母さんも教育者だったから。それから小学校にはすごくいい先生がいて、自分のベースは小学校の時に作られました。風景画を描くのが好きだったので、芸大を受けるという話もありましたが、けっきょく理工学部へ行きました。

原田　その頃にはお父さまはもうコレクションを始めていらしたんですか。

福武　そうですね。50〜60代ぐらいからかな。親父はたまたま大原美術館の当時の館長・藤田慎一郎さんと親しくしていて、いろいろ教えてもらって、近代日本や西洋の絵画、陶芸など、ランダムに集めていましたね。でも脈絡がなかったので、それらは僕がほとんど売りました。売らなかったのは、一貫して集めていた同郷の岡山出身の画家・国吉康雄の作品です。僕は親父に対しては反抗的で、最初はヘンな絵を集めたなと思ったんだけど、親父が死んだ後になって、メッセージ性の強い国吉の絵はすごいと思うようになりました。いまや国吉のコレクションでは世界一。国吉は、戦時中も日本の全体主義に対する反骨精神が徹底していた。そこがいい。僕にもそういうところがあるから。

原田　難しい時代にアメリカにわたって画業を続け、社会の底辺からメッセージを発していましたね。

福武　だから好きなんです。話は飛ぶけど、僕は今、瀬戸内国際芸術祭や越後妻有の大地の芸術祭のプロデューサーとして、ディレクターの北川フラムさんと一緒に仕事をしています。なぜかというと、彼が闘う人だからです。彼は大学時代には学生運動の闘士だった。僕は資本家とか経営者があまり好きじゃない。お互い市民に目が向くから、一緒に闘えるんです。

世界の直島

福武　ちょっと自慢すると、『ロンリー・プラネット』というガイドブックの最新版で、直島は、ベスト・オヴ・ジャパンの12の場所の中で、６番目（注・２０２２年度の最新のリストでは３番目）に紹介されました。

原田　私は仕事柄、世界中のアートやデザイン、モード関係の方にお会いする機会がありますが、みなさん、日本に行くなら、京都はもちろんですが、直島に行ってみたいってかならずおっしゃいます。

福武　親父が直島にキャンプ場を作りたいと言って、何度か一緒に瀬戸内に来た時に、産業廃棄物が捨てられた島や、亜硫酸ガスによるはげ山のある島がありました。日本で富士山より先に国立公園になった、本来、美しいはずの島に、この国はとんでもないことをしていると思った。だからレジスタンスをやろうと思い、現代美術を武器にしました。直島のプロジェクトの最初の議事録にも、世界を狙う、武器は現代美術だと記録されています。

原田　その発想はどこから？

福武　わからない。僕が40歳の時に父が急逝、東京から岡山に帰り、直島で父のやりたかったキャンプ場を作り始めましたが、東京と直島のカルチャーの落差が、その発想を生んだのかもしれません。会社の社名を「Benesse（ベネッセ）」（ラテン語の「よく」と「生きる」を組み合わせた造語）にしたのは、人間は何のために生きているんだろう、幸せとはなんだろうと、20～30代からずっと考えてきたから。この島に住んでいるおじいさんやおばあさん、みんな幸せそうなんですよ。都会に比べたら物も情報も娯楽もないのに。ここに、現代美術を使った「Benesse」を考える、歴史に残るものを作りたいと思いました。東京にいた頃は六本木で遊んだりしていましたよ。あのままだったら、バブルと一緒に僕も吹き飛んでいたでしょう。

原田 それも巡り合わせですね。

福武 僕もいちおう経営者だから、アブラハム・マズローの自己実現理論に関する著書など読みましたけど、「欲求の五段階説」なんて嘘だと思った。世の中で一番崇高なことは良いコミュニティを作る事だと、信じています。ただ調べてみたら、マズローも同じようなことを言っていたらしい。やっぱり格差をなくすことは重要です。コミュニティで自助、互助、共助しながら暮らす。宗教で言えば、僕は神道が一番いいと思います。教義はない、だけど自然と共に生きる。そういう考え方と自分が良いと思うアート作品とがだんだん合ってきた。

アートの力はすごい。特に現代美術は、受け手を主体化します。その力を最大化するためには、作品を包む建物と環境を整える必要がある。それらがうまく調和すると、住んでいる方々の意識も変わってくる。実際に2010年に瀬戸内国際芸術祭が始まってから、小豆島や男木島といった瀬戸内の島々はすごく元気になりました。外国の若いアーティストが1ヶ月ぐらい島にいて、ボランティアの人や島の人と一緒に作品を作るでしょう。地元の人たちは言葉はわからないけど、家にあがってもらったり、ボディランゲージで交流する。そして、作家が去った後も、島を訪れる人たちに、作品を堂々と説明するようになるんです。2010年にフランスの雑誌「art press」は、現代美術によって過疎の場所を元気にする方法を「直島メソッド」

と定義してくれました。

原田　私も豊島へ行った時、レンタカー屋さんで車を借りたら、そこの60代ぐらいのおじさんに「最近あそこに美術館作ってて、内藤礼ちゃん、がんばってるんだよね。あっちには森万里子の作品があるよ」って教えてもらって、びっくりしました。世界の内藤礼を礼ちゃん扱いしていた（笑）。嬉々として説明してくださるのが、すごく嬉しかったです。

アートのメッセージ

原田　小説を書いていて感じるんですが、言葉の翻訳が必要な文学と違って、ビジュアル・アートには国境がなく、見る人に等しく伝わるのが、素晴らしい。

福武　物書きはお金が入るけれど、こっちはお金を使う。大きな違いじゃないですか（笑）。そもそも大量生産でしかお金儲けなんてできません。でもアーティストたちは1点1点に自分の問題意識、社会に対するいろんな思いを込めて作品を作る。そう考えるとだんだんと作品が「見えて」きます。自分で解釈して、アーティスト以上に作品に意味を持たせることができるようになります。だから僕はあえて作品には解説を付けない。有名な評論家の解説を読む必要は全然ない。ただ感じればいい。瀬戸内の島には美しい自然の中に、過疎や産廃問題など現代社会の持っている課題が多くある。このような場所で現代美術を見ると、よりメッセージが強く感じられるはずです。

原田　福武さんは「在るものを活かして無いものを創る」とおっしゃっていますよね。在るものを壊して、無いものを創るんじゃなくて。

福武 日本は明治以降、作っては壊すことの繰り返しで経済が発展してきたから、近年、歴史に残るものは本当に少ない。このあいだトランプ大統領が来た時に、赤坂離宮で歓待したでしょう。どうしてヴェルサイユ宮殿を真似したような建物でやるんだろう、日本には独自の文化はないのか？って思いました。

原田 ところで、住んでいらっしゃるニュージーランドと日本とは、しょっちゅう行き来されているんですか？

福武 向こうにいることの方が圧倒的に多いです。自然はいっぱいありますが、日本に比べると、ほとんど嗜好品はないんですよ。デパートも階層が低くて3階建てぐらい。道を急ぐ必要もないから、トンネルも少ない。食糧自給率は200パーセント以上。水力発電所がたくさんあってエネルギー自給率100パーセントです。川がいっぱいあるけど護岸工事をしてないから、洪水はある。でも、川の傍に家を建てなければいいだけのことです。人口が少ないから、できる。大きいことや強いことは、決して幸せじゃないとよくわかります。だから、ニュージーランドに現代社会を批判するようなメッセージ性の強いアートは少ない。ストレスがないところにはいいアートは育たないからでしょう。もちろん装飾品としてのアートはいいんですよ。でも闘うための武器としてのアートは未だ見つかっていないね。

地場を活かす

原田　日本は実は世界的に見ても珍しい美術館大国で、美術館が全国で１０００館以上もあります。ただ地方の美術館は動員数が伸び悩んでいて、文化庁はどうしたらツーリストを地方に呼び込めるか、美術館を活用できないかと考えているようですが。

福武　資金の問題は重要です。越後妻有でも瀬戸芸でも、僕がプロデューサーとしてお金の面を補っています。北川さんには、赤字になったら僕が個人で補填するって約束している。そこまで僕がコミットすると、みんな一所懸命効率を考えてくれます。だから瀬戸芸は毎回、１億円以上の余剰金を出していますよ。こうして継続しないと、ノウハウは溜まっていかない。寄付では長続きしないんです。僕はよく公益資本主義って言うんだけど、公益財団法人が企業の株を持つ方法を作ったんです。企業の業績が良ければ配当でお金が落ちる。その資金で社会に貢献する仕組みを作るのです。

原田　バブルの頃はメセナってよく聞きましたけど、経済にちょっと影が差すと、まず最初に文化が切られる。

福武　経済は文化の僕（しもべ）なのに。僕は、アートは人や地域を元気にするメディアじゃないといかんと思っているから、そこにはいろんな設えが必要と考えています。土地の持っている歴史や自然や文化を顕在化させ、地場を活かさないと。ただお金を出して美術品買って美術館作るだけじゃダメ。都市型社会の現代人はそもそも地方や自然、歴史に対して関心が薄すぎるように思いますね。

原田　岡山は、文学者やアーティストをわりと輩出していますよね。大原美術館も、ベネッセの本社もあり、直島も近くにあり、本当に地場が強い。

福武　僕のお祖父さんは僕の名前を大原總一郎さんからいただいています。大原總一郎は自分の意思で美術館を発展させたけど、直島も同じです。ただ、僕、参考にした美術館がないんです。多少あったのはデンマークのルイジアナ近代美術館。他人の評価を気にしていたら、独創的なものなんて生まれるわけがない。僕が直島に美術館を作ると言った時は、１００人が１００人とも反対しました。

日本人は戦後、アメリカの影響を受け過ぎて、自分で考えることをしなくなった。すべて西洋のものを輸入し、受け入れている。僕らがアート活動を始めた当時、瀬戸内海はほとんど注目されていませんでした。でも日本人はもっと自分の足元を見直したらいいと思う。僕には確信があったから、途中でやめるなんて考えたこともなかった。確固とした長期計画などなかったけど、ただその都度、自分がやりたいことをやってきました。

原田　それが一番かっこいいですよ！

福武　だからもうちょっとモテてもいいと思うんだけど、どういうわけか、モテないんだなあ（笑）。

（２０１８年2月5日　香川・直島の地中美術館にて）

福武總一郎

【インタビューを終えて】

対談の撮影をするために、福武さんと地中美術館の「モネ室」で待ち合わせをした。展示室に足を踏み入れた瞬間が忘れられない。福武さんは《睡蓮の池》に静かに向き合って、背中をこちらに向けておられた。その姿はまさしくモネの絵の一部だった。長年こつこつとアートと付き合い、アートを取り巻く状況を変えよう、アートで世界を変えようと挑戦してこられた福武さんの「直島メソッド」。今後さらに世界に知られていくことだろう。

山田洋次

やまだ・ようじ

映画監督

1931年、大阪生まれ。1954年、東京大学を卒業し、松竹に助監督として入社。1961年、『二階の他人』で監督デビュー。1969年、前年に連続テレビドラマの原案・脚本を手掛けた『男はつらいよ』を映画化。同作は全50作を数える大ヒットシリーズに。2003年、前年に公開された『たそがれ清兵衛』で日本アカデミー賞12部門で最優秀賞他、数々の映画賞を受賞。2008年、日本芸術院会員に。2012年、文化勲章を受章。2023年9月、最新作『こんにちは、母さん』を公開予定。

原田　初めまして。今日は最初にすこしだけ私のプライヴェートな話をさせていただきますと、2年前に90歳で亡くなった父が山田監督の大ファンで、その影響で、私も子供の頃から監督の映画を拝見していました。この父をモデルに『キネマの神様』という小説まで書いてしまいました。

山田　小説、おもしろかったですよ。でも、原田さんはさすがに「男はつらいよ」、劇場では見てないでしょう？

原田　もちろん見ています。小学校2年生の時、私の映画初体験が「男はつらいよ」の第1作目でした。寅さんの一挙手一投足に観客がわっと笑って、最後に寅さんが去っていくシーンではおじさんたちが立ち上がって「よっ！　寅さん！」と声をかけていました。父にせがんで買ってもらった寅さんのポスターを子供部屋に貼っていたんです。

山田　そんな人は珍しいな（笑）。

就職はしたけれど

原田　監督は子供時代に何か特別な映画体験はおありでしたか？

山田　僕らの少年時代は、映画が最大の娯楽でしたから、親父が映画に行くぞって言うとそりゃもう、嬉しくて。映画館に入るだけでワクワクしていました。学生時代にもたくさん見ました。あの時代の若者は、映画から社会なり人間なりを学んだんじゃないかな。

でも元々、映画の世界に入ろうと思っていたわけではありません。僕が大学を出る頃はまだ就職難で、しかも僕は全く授業に出てなかったので成績がひどくて、名の通った企業は無理だと、学生課で言われましてね。でも役人になるのは嫌で、新聞社や出版社、映画会社をいくつか受け、たまたま松竹にひっかかったんです。

原田 大人物をひっかけたものですね、松竹さん（笑）。

山田 助監督としての採用が決まった後、学生時代に経済的に世話になっていた山口県の伯母さんのところへ就職の報告に行ったんです。がっかりされました。伯母さんは、僕が法学部だったから、大蔵省とか日本銀行に入ると思っていたんでしょう。「おまえ、なんで役者になんかなるんだ？」って言うから、「役者じゃなくて、監督になりたいんだ」と答えたら、「監督っていったい何をするんだい？」と訊かれた。たしかにキャメラの横のディレクターズチェアに座ってメガホン持って威張ってる人はいるけど、何をやっているのかわからない。それで考え込んでいたら、「もう決めたのなら仕方ない。いい監督になりなさいよ」と言われたので、ありがとうございます、と帰ろうとしたら、「ちょっと待ちなさい。おまえが作るのは邦画かね、洋画かね？」って言うんです。「邦画だよ」と言ったら「洋画の方がスマートでいいのにね」って。そういえば学生時代は、フランス映画やイタリー映画ばかり見ていて、邦画なんてほとんど見てなかった。そうか、僕はこれからあの泥臭い邦画を作るんだなと思ったものです。

原田 素敵な伯母さま、「男はつらいよ」シリーズに登場しそうです。若い頃に影響を受けた映画はありますか？

山田 それまで見たどの映画とも違うとびっくりした作品の一つは、フェリーニの『道』でした。非常に不思議な気持ちになるんですよ、見ているうちに。どういうふうにいいのか説明ができないけれど、とにかく良かったな。まるで夢を見ているような気分になる映画でした。

原田　松竹に入られてから、思っていたのと違ったというようなことはありましたか？

山田　失望することが多かったです。くだらないと思っていた日本映画の現場ですし、素敵な監督がそれほどたくさんいるわけでもない。演出が杜撰で、制作態度が真剣じゃない。「この女優のクローズアップの次はポンとロングに引こう、どうだい、かっこいいだろう？」程度の会話を、キャメラマンとしている。僕はそういう決まりきったパターンで映画を作るのではなく、何を表現したいのか、それを表現するためにはどういう手法が必要なのかを一所懸命考えなきゃいけないと思いました。当時、松竹には松竹流、東宝には東宝流、日活には日活流と、会社によって違うパターンがあったけどね。

松竹の型は、小津映画を見ればわかります。小津安二郎が厳然とマエストロとして君臨していた会社だから。この人の映画に、僕たち若い映画人は反発していました。あんな古臭い映画のどこがいいんだと。松竹流の演出はスタティックでね。ホームドラマが多いから、畳の部屋にキャメラを据えて俳優さんをじっと見つめるという形が多い。それに対して、例えば黒澤明さんの映画は、人が走る、馬が駆ける、泥の中で格闘する、とダイナミック。戦時中に政府や軍が映画会社に戦争協力映画を作らせた時に、松竹はあまり作らなかったし、作っても戦争シーンが下手なつまらない映画だった。結果的には、松竹にとってそれは名誉なことでしたね。陸軍省の依頼で木下恵介さんが撮った『陸軍』という映画では、召集令状を受け取った若者が家族に別れを告げて戦争に旅立つラストシーンがあるんだけど、木下さんは若者とお母さんの別れにポイントを置いたんです。小倉の町を軍隊が勇ましく行進する、お母さんが人ごみを縫って走りながら息子の名前を呼ぶ、銃を担いだ息子がそれをちらっと見ながら行進する、お母さんが叫びながら走る――そのカットバックが素晴らしくて、とても悲しい映画になっちゃって、陸軍省は怒ったそうです。なぜこんな女々しい映画を作ったのかと。

寅さん誕生

原田　監督ご自身は、そんな松竹小津アカデミーみたいなところから、表現者として逸脱していかなければならない、と思われたのでしょうか。

山田　当時は、家族の静かな日常を描く小津映画には全く魅力を感じなくて、黒澤監督の『七人の侍』を見て、これぞ映画だと思っていました。でも、そう簡単に監督になれるわけではない。選ばれないと監督にはなれない。僕の前には、大島渚さん、篠田正浩さんなど、華やかな人たちがいたし。助監督の中で誰がいい映画を撮るかなんて、作らせてみなければわからないわけです。僕は全く目立たない助監督だったけど、野村芳太郎（よしたろう）さんという『砂の器』などを撮った監督が、応援してやろうということになって、多岐川恭の推理小説におもしろいのがあって、僕が脚本を書くから、山田くんに撮らせたら、と会社に推薦してくれました。それが僕の第1作目『二階の他人』。当時松竹は1時間の短い映画を年に何本か作っていて、これが新人監督や新人俳優のテストになっていました。野村さんが喜劇仕立ての脚本を書いてくれたのを、わけもわからず夢中になって撮りました。今まで何年も助監督をやっていて何を勉強していたんだろうと、絶望感に苦しみながら。特にヒットしたわけでもありません。ただ、支離滅裂で下手くそな映画だったんですけど、映画館で見て驚いたんです。なんだかスクリーンに僕の後ろ姿が映っているような気がしてね。まぎれもなくこれは僕が作った映画なんだ、という非常に不思議な体験でした。

原田 その後、国民的映画に成長する「男はつらいよ」シリーズが。

山田 7年後ぐらいかな。最初はフジテレビで渥美清のシリーズを作るから、脚本を書いてくれという依頼で。渥美清というスターコメディアンのために連続26回のシリーズを書きました。その評判がよかったので、映画化する話になった。テレビ版では他の人が演出したから、僕がデッサンを描いて、他の人に色を塗ってもらったような感じがしてもどかしかったので、自分で演出したかった。ただ、その第1作目を撮り終えて撮影所の試写室でスタッフと見た時は、喜劇を注文されたのに、おもしろくもなんともない真面目な映画を作っちゃったと思いました。スタッフは誰も笑ってくれない。その日家に帰って妻に「俺はこれでおしまいかな」なんて言った覚えがあります。ところが封切ってみたらよく客が入って、団地でゴロゴロしていた僕のところにプロデューサーから電話がかかってきて、すぐ映画館に行ってみろと言われました。行ってみたら客席でわーっと笑い声が起きるので、びっくりしました。繰り返し見ているうちに、自分でも可笑しくなって、気付いたら笑っていた。その時、「あなたが大真面目に作った映画を俺たちが見ればとても可笑しいんだよ」と観客に言われているような気がしました。

映画館で見てこそ

原田　デジタルの時代になって、今では映画もインターネットで見られます。多くの人に受け取られるという点ではいいんですけれど、次々に消費されていく感じが残念でもあります。今の映画の世界は、監督にはどういうふうに見えていますか？

山田　僕は今もフィルムで撮影していますが、映画館の大きなスクリーンに映る映像を想定すべきか、DVD化されてテレビやパソコンの小さなモニターで見られることを前提とすべきかと、時々考えます。やはり、映画館で大勢の観客が声をあげて笑ったりするような作品を作りたい。見終わったら誰かと帰りにコーヒーを飲んだりラーメンを食べたりしながら感想を語り合う、そういうことも含めて、映画鑑賞だと思います。

原田　最新作『妻よ薔薇のように　家族はつらいよⅢ』は「男はつらいよ」シリーズのDNAを引き継いだ本当に楽しい映画で、大笑いさせていただきました。「家族はつらいよ」は『東京家族』の発展形ですね。

山田　年齢を重ねるとともに小津映画はやはりすごいということがわかって、小津へのオマージュのつもりで撮ったのが、『東京家族』です。10年に一度、英国映画協会が主催している「トップテン」という行事があって、世界中の監督や批評家が投票するんですが、小津の『東京物語』は2012年のベスト1。第2位がキューブリックの『2001年宇宙の旅』です。

原田　ベクトルが全然違いますね（笑）。「家族はつらいよ」シリーズは『東京家族』とほぼ同じキャストで撮られていますよね。みなさんすごく息が合っていて、本物の家族みたいです。シリーズを3本拝見すると、タイトルバックに横尾忠則さんの絵が使われているのも嬉しかった。お茶の間に飾ってある絵がちょっとずつ変わって、最新作ではモネの《睡蓮》になっているなど、小物の使い方などがゆきとどいています。西村まさ彦さんと妻役の夏川結衣さんの距離感が、障子の向こうの影で表現されているシーンもよかったです。

山田　あれは、じつは真似なんですよ。台湾の映画監督エドワード・ヤンが、ガラスに映った影をよく使うんです。

原田　監督、正直ですね（笑）。

山田　黒澤さんもよくおっしゃっていた。「俺は記憶力がいいだけで、古い映画をよく覚えているから、俺の映画は全部あちこちの切り貼りだ。説明しろって言われたらぜんぶ言えるよ」と。

原田　でも、それをちゃんとご自分のものにされている。雨の効果音や香港土産の薔薇の模様のスカーフなど、伏線が素晴らしいと感じ入りました。

山田　僕は雨のシーンが好きです。映画の中では、一度は水を映さなきゃと思っています。雨でも川でも湖でもいい。海はちょっと違う。淡水じゃないといけない。雨は観客の気持ちを湿らせてくれます。

原田　お聞きしたいお話は尽きませんが、今日は本当にどうもありがとうございました。監督にお会いできて、父の想いを遂げたような気持ちです。帰ったら父の仏前に報告します！

（2018年4月7日　東京・柴又の帝釈天にて）

【インタビューを終えて】

子供の頃、私にとって映画監督は魔法使いに等しかった。俳優たちが泣いたり笑ったり恋をしたりすると、別世界へ連れていかれる。そのすべてを取り仕切っているのが監督なのだと父に教えられた。「男はつらいよ」に夢中だった私には、映画監督とはすなわち山田洋次さんのことだった。初めてお目にかかった監督と、腕を組んで記念撮影をした。ウィットとユーモアにあふれる魔法使いとの2ショット。照れくさく、泣けるほどうれしかった。

山田洋次

小田豊

おだ・ゆたか

六花亭食文化研究所所長

1947年、北海道生まれ。父親は帯広千秋庵（六花亭の前身）の創業者・小田豊四郎。1969年、慶應義塾大学卒業後、京都の老舗菓子店で修業。1972年、帯広千秋庵に入社、取締役副社長に就任。1992年、中札内村に坂本直行記念館を開館。1995〜2016年、六花亭製菓代表取締役社長。2011年、「六花の森」「中札内美術村」などのプロジェクトが、日本建築学会賞（業績）を受賞。2016年より六花亭食文化研究所所長。

原田　帯広に来るのはもう7～8回目です。最初は旅友達に、帯広の豚丼を食べようと誘われて、調べてみたら帯広には美術村があることがわかりました。実際に「中札内(なかさつない)美術村」に来て驚いたのは、その佇まいがぜんぜん日本っぽくなかったこと。私が大好きなドイツのインゼル・ホンブロイッヒ美術館（デュッセルドルフ近郊の自然と一体型の美術館）と似ていた。なぜこうした施設を六花亭というお菓子の会社がやっているんだろう、と不思議に思いました。

小田　六花亭の包装紙の草花の絵は画家の坂本直行(なおゆき)さんが描いてくださったものなのですが、描かれている草花そのものを見られる場所を作ったら、帯広に観光バスが来てくれるんじゃないかと考えたのが最初です。坂本さんの記念館を作りたいとも思っていました。それで帯広本社周辺に植樹して、坂本さんの作品も併せてお客さんにご覧いただこうと考えたのですが、スケールが小さく恥ずかしくなってきて、新しい土地を探し、平成4年（1992）に坂本直行記念館を作ったんです。それが今の中札内美術村の土地。その後も相原求一朗(あいはらきゅういちろう)さんや小泉淳作さんとご縁ができて、それぞれの美術館を敷地内に作りました。「六花の森」は坂本直行記念館開館の15年後、工場の横の空いていた土地に作りました。花柄包装紙にある山野草が見られ、今では開園している半年間に、「中札内美術村」と「六花の森」、両方合わせて10万人ほどの方が来られます。坂本記念館は最終的には六花の森に移しました。

書とピアノ

原田　こうした事業を展開されている小田さんには、子供の頃に、文化的なものに触れた原体験のようなものがおありなのでしょうか？

小田　小学生の時には、親に言われて、書道家のところに通っていました。小学校6年生の時に「大吉祥」と書いたものがたまたま今も残っていて、表具してあるんだけど、これが、上手い（笑）。というか、実にのびのびと書いているんです。親しい方をお茶会にお招きする時にこれを床の間に掛けると、「お前の作品にアタマ下げるのか！」って言われますけど。書を愉しむ生活は最近になって本当に身についてきました。たとえば私の親父と、私と、娘の3人でひと文字ずつ「松竹梅」と書いたものもあります。時代を共有できる喜びを感じます。小学生の時分に筆を持ったことが今につながっているのかもしれません。

それから、姉と一緒に小学校4年生ぐらいからピアノのレッスンにも通わされた。私は2～3年しか続きませんでしたけど、姉は非常に上手で、ショパンなんかさらさら弾いて、家の中ではいつもピアノの音が聞こえていた。大学時代、姉に東京文化会館のコンサートに連れていってもらった時に聞いた久保陽子さんのバイオリンの演奏が、強烈に印象に残っています。久保さんは今は夏に帯広へ来て、うちの施設で演奏をしてくださる。あの頃からのご縁で延々とつながっているのかな、と思います。

原田　子供たちに文化的な体験をさせたいというご両親の想いが感じられます。六花亭はお父さまの小田豊四郎（とよしろう）さんが始められたんですよね？

小田　そうです。親父は六花亭の前身の、帯広千秋庵の経営者でした。元々は裕福な家に生まれたんですが、父の父、つまり私の祖父が事業に失敗して、一夜にしてお金がなくなってしまった。親父は大学進学をあきらめ、札幌のお菓子屋で修業を始めました。親父の母親と札幌千秋庵の社長夫人は姉妹だったんです。そして親父は4年後に早くも、帯広千秋庵を任される。まだたいしてお菓子も作れないし、売れないし、いつ辞めようかとしょっちゅう考えていたそうです。ところが戦争が始まるすこし前に、親父にお金を貸してくださった取引先のご主人が言った。「このお金で借金返しちゃいけないよ。これで砂糖を買いなさい」って。それで言われたとおりにすべてを砂糖に使ったら、その後に物価統制がかかった。買っておいた砂糖をうまく商品化することで、すこしずつお客がつくようになったんです。まるでトーマス・マンの『ブッデンブローク家の人々』みたいな展開です。

私も小学生の頃は膝を繕ったズボンをはいていたし、麦ごはんを食べていました。中学生の頃までは住み込みの社員がたくさんいて、大部屋でみんなごろ寝。ところが昭和27年（1952）に帯広市の開基（開拓開始）70年・市制施行20年のお祝いがあり、仕事に対する親父の姿勢が認められて、引き出物のお菓子を任されることになった。その時に作ったのが「ひとつ鍋」という最中です。今も看板商品のひとつですが、これは、十勝の開拓者・依田勉三さんが詠んだ句「開墾のはじめは豚とひとつ鍋」にちなんだもの。親父は親しくしていた経済学者の方に「お菓子は文化のバロメーター」だと言われ、ただお菓子を作るのではなく、土地の文化がわかるものを作ろうとしたんです。

ホワイトチョコレートとマルセイバターサンド

小田　昭和43年（1968）に作ったホワイトチョコレートは、幸運にも、カニ族のおかげで売れるようになりました。

原田　カニ族？

小田　昔のバックパッカーのことです。リュックを背負ってフリーチケットで北海道を周遊する。大きな横長のリュックを背負っているから電車の中では通路を横歩きする、その姿がカニみたいだった。彼らがユースホステルで情報交換するうち、ホワイトチョコ情報がひろがって、いつの間にか、店の前には朝から、パチンコ屋の開店前みたいにカニ族が並ぶようになったんです。

原田　私は中学校1年生の時に初めてバレンタインデーのチョコを買ったんですが、それがこのホワイトチョコだったことを覚えています。当時、私が住んでいた岡山の一番街というところでバレンタイン・フェアをやっていて、ワゴンの中にいくつかのチョコがありましたが、ホワイトチョコは珍しかったし、坂本さんのフキノトウの絵の包装紙がすごくおしゃれだと思いました。私は「詩とメルヘン」という詩画雑誌にイラストを描いていらした飯野和好（かずよし）さんが大好きで、編集部気付で飯野さん宛にホワイトチョコを送ったんです。素敵なチョコレートをありがとうございますって、お返事をいただいて、すごく嬉しかった。

小田　このホワイトチョコ、帯広では売れるけど、札幌千秋庵のある札幌で売るわけにはいかなくて、けっきょく、暖簾を返して社名を変えることになりました。東大寺の管長だった清水公照さんにご相談したところ、まず、雪を意味する「六花」はすぐに決まった。その後、六花堂、六花屋、六花庵……といろいろ付けてみて、最終的に六花亭となりました。

原田　洋風なカタカナの名前が流行っていた時期なのに、日本語を大切にされたんですね。美

小田豊

しい。

小田　その後、「亭」は流行りましたね。社名変更を記念して作ったお菓子の中ではマルセイバターサンドが一大ヒット。依田さんの率いた「晩成社」の商標が、◯の中に成の字だったので、「マルセイ」としました。依田さんは早くも明治37年（1904）にバターを製造しています。既に小川軒さんのレーズンウイッチがあったので、親父は真似は嫌だと言って、クリームにホワイトチョコを混ぜました。これも今に続く六花亭の看板商品です。

お菓子屋を継ぐ

原田　小田さんはいつお父様の後を継ぐことを決められたんですか？

小田　子供の頃は、お菓子屋には誇りを持てませんでした。あくせく働いて、家族旅行の時間もない。友達の誕生会に呼ばれると、お医者さんや弁護士さんの家はいい生活してるなーと羨ましくて、高校生の頃は医者か弁護士になろうと思っていました。そうしたら親父がある日、医者や弁護士もいいけど、楽な仕事なんてないってことはよくわきまえとけ、何をやっても苦労はあるぞ、と言うんです。私はそれを聞いて、よし、お菓子屋を継ごうと決めました。納得すると人の言うことにわりと素直に従う性分なんです。大学は商学部へ進みましたが、ちっとも学校に行かなかったし、就職活動もしてない。3年半の奉公の間に、茶の湯と出会ったのは大きかったです。京都の老舗・鶴屋吉信さんへ丁稚奉公に行きました。

最初は母親に、お菓子屋の息子なんだからお茶ぐらいやっておきなさい、と言われてしぶしぶでした。私は家で母親がお茶をやるのを見ていたから、お茶は女の世界だと思ってた。紹介された光悦寺のご住職・山下恵光さんを訪ねたらご本人は不在で、代わりに綺麗な奥さんが出てきました。これでがぜんやる気が出た（笑）。奥さんは北海道出身の方で、小田さん、ご飯食べて行ったら？などとかわいがってくださったんで、稽古日を間違えたふりをしてお邪魔したりしたことも……。この師匠のお茶は母親のものとは全然違いました。そこには衣食住すべてがあった。書も花も建築もあって、総合芸術だからどこを切ってもおもしろい。瞬間を愛でるものもあれば４００年愛でてきたものもあり、硬軟兼ね備えていて、一気にのめりこみました。お茶に出会っていなかったら、私は六花の森にクロアチアの建物を移築しようなんてことは考えなかったはずです。新築した方が早いもの。時代を残してゆくことを、お茶を通して学んでいたんですね。

お菓子も文化

小田　親父は、まだそんなに儲かっていない頃から、地元の小中学生の詩を載せる詩集を作りたいと考えて昭和35年（１９６０）に児童詩誌「サイロ」を立ち上げたんですが、今年の5月号でついに７００号になりました。この詩誌の表紙絵と挿絵をお願いしたご縁で、坂本さんに今も六花亭で使っている包装紙の絵を描いていただくことになった。詳しい経緯は知りませんが、包装紙ができたのは昭和36年（１９６１）、その16年後にお店の名前が変わっても、お客さんはまったく減りませんでした。包装紙が今で言うCI（コーポレート・アイデンティティ）になっていたんです。

原田　六花亭のお菓子そのものも文化だし、六花亭が運営されている事業には詩も、美術も、自然もあって、そうした要素がハーモニーを醸し出して小さな宇宙を作っている。コンサートも主催されていますよね？

小田　創業50年目の昭和57年（1982）から始めました。帯広本店の2階の喫茶室でコンサートをやろうと、札幌交響楽団の人にまずは隔月でお願いしたら、真冬でも朝早くから人が並んじゃって。落語家の柳家小三治さんとも縁があって、落語も始めたんです。コンサートは今、札幌の六花亭のホールを中心にやるようになったんですけど、結果、帯広市にはアマチュアの交響楽団ができました。

原田　六花亭の施設は、小田さんが直観で始められたことがブレずに続いていますね。私はこれまでいろんな美術館を見てきましたが、個性があってよい運営をしている美術館には、私立美術館が多いと思います。たとえばポーラ美術館や大原美術館、ひろしま美術館など、経営者にちゃんとした美意識がある。公立の場合、予算の都合とやりたいことと世の趨勢と……といろんな要素がミックスしてブレちゃうのかもしれません。小田さんの茶人としてのポリシーに貫かれているからでしょうか、六花亭には引き算の美学を感じます。たとえば施設の建物に見苦しいサインはないし、押しつけがましさがない。そしてスタッフのみなさんが気持ちいい。

小田　私は、販売員には役者のつもりで販売員を演じろと言ってるんです。ときどきセリフを間違える役者もいますけどね。お菓子のパッケージも最近はおべべを着せすぎたのが多いけど、うちはお菓子をプロテクトする必要最小限のものにとどめようというのが親父の時代からの方針で、そっけない。苦し紛れに素顔美人と言ってるけど。

原田 六花亭のお菓子には詩情もロマンもありますよ。

小田 親父は常に文化ということに対して意識的でした。それが私の中に、いつのまにかＤＮＡとして受け継がれているのかもしれません。

（２０１８年７月９日　北海道・中札内村六花亭の施設にて）

【インタビューを終えて】

帯広を訪問したとき、「中札内美術村」のそばを通りかかった。森の中に点在する建物に足を踏み入れると、そこは個人的な美術館だった。ひっそりと調和のとれたアートの住処。このような場所を作り出したのが、小田さんだった。小田さんは京都の老舗和菓子店で修行をし、茶の道に勤しむ茶人でもある。その冴え渡る美学と朗らかなお人柄が、この美術村と魅力的なお菓子を作り出している。六花亭がある限り、また帯広を訪れたい。

フジコ・ヘミング

Fuzijko Hemming

ピアニスト

ドイツ・ベルリン生まれ。父親はスウェーデン人の画家・建築家、母親は日本人のピアニスト。東京藝術大学卒業後、ベルリン音楽学校へ。ストックホルムで音楽学校教師の資格を得て、ドイツに戻る。1995年、日本に帰国。1999年、NHKのドキュメンタリー番組で注目を浴びる。2001年、ニューヨークのカーネギーホールで演奏。2018年、ドキュメンタリー映画が公開される。

原田　先日のヤマハホールでの演奏、素晴らしかったです。ドキュメンタリー映画『フジコ・ヘミングの時間』も拝見しました。映画に出てきたパリのご自宅、素敵ですね。

ヘミング　実は恥ずかしくて、あの映画、まだ1〜2回しか観てないの。私はルーヴル美術館のすぐ近くに住んでいるのに行ったことがなくて、みんなに笑われます。でももうちょっと後の時代の、印象派とか北斎が好きなの。そうそう、モネのジヴェルニーの家に行った時に、壁一面に日本の版画が貼ってあったけれど、みんな色が剝げてて、残念ね。

原田　聞くところによるとあれは全部本物だそうです。モネが蒐集していた浮世絵、退色しちゃって。

ヘミング　パリ郊外にあるラヴェルの家にも、玄関を入ったばかりのところに浮世絵がベッタベタに貼ってありました。私はピカソも好きなんだけれど、初期の青の時代やバラ色の時代の、サーカスや子供の絵が特に。でも、現代のものは私にはまったく理解できません。

ピアノよりも絵が好きだった

原田　今日はピアノだけではなく、ぜひアートのお話も聞かせてください。

ヘミング　私の父はスウェーデン人でグラフィックデザイナーだったのですが、当時はそれで生計を立てることはできなかったので、建築家になりました。かつて英字夕刊紙に漫画を連載していたこともありました。その後、警察に目をつけられて、結局はスウェーデンに帰ってしまった。父は日本をバカにするような漫画を描いたりしていたので、警察の目に触れないよう、それらは母がみんな焼いてしまいました。でも、ドキュメンタリー映画に出てきたように、日本郵船から頼まれたポスターの原画が、横浜の日本郵船歴史博物館に残っています。父は、子供を絵描きにだけはするなと言っていたらしい。

原田　ご苦労が多かったからですか？

ヘミング　食べていけないと思ったんでしょう。私はモディリアーニがすごく好きなんだけど、彼も売れなかったために女の人からお金をもらって生活していたんでしょう？　ゴッホやゴーギャンも、当時の人はみんな見向きもしなかったって。私だったら彼らのよさがわかったのに。私にとっては、有名かそうじゃないかは関係ない。いいものはいい、好きなものは好きなんです。

原田　フジコさんご自身も絵を描かれていますね。『フジコ・ヘミング14歳の夏休み絵日記』の絵もすばらしかったです。絵を描く習慣には、お父さまの影響があるんでしょうか。

ヘミング　私がもの心ついたときに一番関心があったのが、絵です。音楽じゃない。母が私にピアノを習わせるために用意した子供用の楽譜には、五線譜の下に可愛いサンタクロースの絵が大きく描いてあって、それを見る度に胸をドキドキさせていたのを覚えています。音楽は母にやらされた感じがあったの。ピアノの先生になれば一生困らずにどこででも生活できるだろうからって。でもピアノを弾くのは大嫌いで、いつも逃げ回ってた。母がピアノを教えに出かけると、私はばあやを買収して、ちゃんと練習してましたって嘘をついてもらって、実際には洟垂れ小僧たちと外で遊んでました（笑）。

原田　健やかな感じがしますね。

ヘミング　青山学院高等女学部に通っていた時には雉の剝製を写生して、学校で一番になって金賞をもらったのを覚えています。とても嬉しくて。でも、私が描いた別の絵が廊下に貼りだされていた時、それを見た先生と親友のお母さんが、「これは家の人に手伝ってもらったに違いない」と言っていたのを聞いて、ムカムカしたこともあった。ヨーロッパで私がピアノを教えていた頃は、私のことをバカにする人がたくさんいて悔しかったから、私には才能があるんだということを知らしめたくて、絵を描いては世界中の人に送りました。そうして送った絵を、日本楽器製造（現・ヤマハ）の当時の社長さんが額に入れて客間に飾ってくださっていると聞いて、すごく嬉しかったですね。ベルリンの音楽学校では私の担任が、絵が描けるようになればピアノも上手くなると言うから、クリスマスに絵を描いて先生に送ったら、君は絵が上手いんだね！と驚いてました。

音色（おんしょく）って言うでしょ。音にも色があるんです。特にフランスの印象派の曲を奏でるには、音の色彩がすごく大切。その日によってどんな色で弾こうかと考えます。強烈な色にするか、薄い色でいくか。

原田　絵は子供のころからよく描いていらしたんですね。

ヘミング　ピアノを弾くより絵を描く方がずっと楽でした。絵は、疲れたらやめて、3日経ったらまた描けるけど、ピアノは3日弾かなかったらもう腕が落ちてしまうから大変。それに絵は残るけれど、ピアノは録音したものしか残らないですよね。

遅咲きのピアニスト

原田　そんなフジコさんがピアニストになろうと決断されたきっかけは、何だったんですか？

ヘミング　自分には普通の人にはない才能があるんだと気付いたのは40歳を過ぎてから。ピアノの曲は1曲しあげるだけでもすごく大変で、私は20歳ぐらいの時に既に首が回らないぐらい肩を痛めていました。だからプロのピアニストになるなんて考えもしなかった。ところがドイツでもスウェーデンでも、口は達者なのに、実際に自分で弾いてみせることのできない先生もいるのだということに気づいて、もしかしたらピアノでやっていけるかもしれない、と初めて思ったんです。それまでは厳しい母に「お前はアホだバカだ」ってずーっと言われていたものだから、自分に自信がなかった。母は悪い人ではないんですよ。ただ思ったことをすぐに口にしてしまう。純粋なんです。そんなわけで私はずっと劣等感を抱え続けていたけれど、ストックホルムで耳の治療をした時に知能テストを受けたら、40人ぐらいの中で私が1番になっちゃって、へえ、私は案外バカじゃなかったんだ、と自信がつきました。

原田　フジコさんのリストも素晴らしいけど、ショパンが本当に好きです。

ヘミング　私もショパンの方が好きです。自分で弾いていて慰められる。リストは自分の技をひけらかすためにサーカスみたいな曲ばかり作ったから、お客さんを興奮させるにはいいけどね。母はいつも私を8時に寝かせると、ピアノに向かってショパンを弾いていました。母のピアノはあまり上手ではなかったけど、ショパンのノクターンは誰が弾いても綺麗ですよ。あとドビュッシーやラヴェルも好き。私は別にショパン弾きじゃないけれど、ヨーロッパの人は私のショパンをすごく褒めてくれます。ところが日本人は「やりすぎ」って言う。ヨーロッパの人は誰かに会うと大きな仕草ですぐハグするでしょう？　日本人は感情を抑える国民だから、私はやりすぎだと思われちゃうのかもしれません。そうならないようにできるだけ〝締めて〟演奏するんだけれど、どうしても性格が出ちゃうのよ。私は朝が弱くて、全然起きられなくて、ぐずぐずして11〜12時ぐらいにやっとベッドから出るんだけれど、ショパンもそうだったんだと、ジョルジュ・サンドが書いていています。そういうちょっといいかげんなところが演奏にも出ちゃいますね。

原田　いいえ、フジコさんの演奏はすごくタッチング――魂に触れてきます。私は音楽にはそれほど詳しくはないけれど、モーツァルトなんかの時代は抑制の効いた美しさがありますが、19世紀ロマン派以降の作曲家やピアニストの表現は、溢れ出してくる感じ、エクスプレッシヴですよね。

ヘミング　私もそういうのが好き。マーラーとかシューマンとかドビュッシーとか。ドビュッシーはたとえば北斎の絵に感激して「海」という曲を作っていますね。かつて、まだ日本にテレビがなかった頃にもお昼時になるとラジオからクラシックが流れてきて、ドビュッシーの「海」を聞きながら、向こうにはもっと素晴らしい世界があるんだろうなっていつも夢見てました。それでドイツへ渡ったわけだけれど、私のようなお金のない人間はすごくいじめられて、住む場所も転々としてたいへんでした。でも、スウェーデンにはそんな意地悪な人はいなかった。

世界中を旅しながら

ヘミング　フランス人も他人にちょっかいを出したりしないからいいです。インテリなんだと思う。私のパリのアパルトマンは町の中心部にあります。東京の家には猫が25匹いて、パリにも一時期4〜5匹いたんだけど、だんだん死んじゃって。サンタモニカでも留守番してくれている親戚が猫を3匹飼っている。私の父方のひいおじいさんは、ストックホルムで動物病院の院長をやっていたの。だからみんな異常に動物が好きなんです。

原田　東京、京都、パリ、ベルリン、サンタモニカ、世界中にお家を持っておられますね。

ヘミング　飛行機が嫌いだから、汽車で行けるところはできるだけ陸路で移動します。旅は疲れるから嫌なんだけど、演奏会がうまくいってスタンディングオベーションで迎えていただけるとやっぱり嬉しいです。私はマリリン・モンローみたいに有名なわけじゃないけれど、たくさんの人が聴いてくださるのは本当にありがたい。自分がうまく弾けている時は、誰かが乗り移っているような感じになります。

原田　そういえば私、パリの友人に聞いたんですけど、あるとき散歩をしていたら素晴らしいピアノの音が聞こえてきて、みんなが道に佇んで聴き惚れていて、そうしたら「あれがフジコ・ヘミングのアパルトマンだよ」と教えられた、と言ってました。フジコさん、パリで有名ですよ。

ヘミング　パリでは最初はモンマルトルに住んでいて、その後サン＝ルイ島、そして今の場所に移りました。私はどうも男運がよくないのか、過去の恋愛はどれもうまくいかなくて、住まいを変えざるをえないようなこともあったんです。

原田 大変だったんですね。ぜひ、今の恋人のお話を聞かせてください。

ヘミング すごく優しくて、猫をたくさん飼っている人。スラブ人で、パリにはあまり来ないの。でも昨日から日本に来てくれていて、私が腰と脚を痛めていると言ったら、ウィーンの近くにいい湯治場があるから一緒に行こうと言ってくれました。

原田 彼とふたりでヨーロッパ温泉旅行、いいですねー。

ヘミング 私は「あなたを愛してる」って手紙を書いたけど、彼が私を愛してるかはわからない。返事をくれたんだけど、怖くて開けられないの。

原田 開けなきゃダメじゃないですか！ もちろん愛してるに決まってます。私が保証します。

ヘミング 愛してるけど、きっと彼のやり方で愛してるのよね。私みたいにカッカしないですごく落ち着いた人なんです。私よりずっと年下の音楽家です。

原田 理想的ですね。私も将来、年下のボーイフレンドがほしい。

ヘミング 私はたくさん素敵な男に出会ったのに、なぜたった一人の私のための男が現れないんだろうとずっと思ってきたの。だけどとうとう今の人に出会えた。ただ、私はパリに惚れこんでいるから、彼が暮らす別の町へ行ってもきっとつまらないでしょう。だから困ってる。

原田 それぞれの生活があって、時々行き来する、今のスタイルでいいんじゃないですか？

ヘミング 嫌だ、私は一緒にいたい。

原田 ……フ、フジコさん、かわいい！（としばしもだえる） 胸がきゅんきゅんしました。小説に書いてもいいですか？

ヘミング　うん。いいわよ（笑）。

（2018年11月26日　東京・中野区のベーゼンドルファー・ジャパンのショールームにて）

【インタビューを終えて】

フジコさんが世に出るきっかけとなったドキュメンタリーを見たときの衝撃は忘れ難い。東京の片隅にひっそりと暮らす天才ピアニスト。波乱に満ちた人生を送った彼女のユニークな語り口と胸に迫るピアノの音色。いつかこの人に会ってみたいと、作家になる前だった私は思ったものだ。まさか20年後に現実になるとは。対談の最後に、フジコさんはさりげなくショパンを弾いてくださった。研ぎ澄まされた音色は私の胸の奥深く染み渡った。

高階秀爾

たかしな・しゅうじ

大原美術館館長／
西洋美術振興財団理事長

1932年、東京生まれ。父親は哲学者の高階順治。1954年、東京大学大学院に在学中、フランス政府招聘留学生として渡仏。1959年、帰国して国立西洋美術館に勤務。1971年、東京大学助教授に就任。その後、教授、名誉教授。1992〜2000年、国立西洋美術館長。2000年に紫綬褒章を、2001年、フランスのレジオン・ドヌール勲章シュヴァリエを受章。2002年、日本芸術院賞受賞。2005年、文化功労者。2012年、文化勲章を受章。

原田　高階先生は私も含めたくさんの人を導いてこられた、まさに美の巨人。そんな先生の幼少期、アートに親しむ環境は元々あったのでしょうか？

高階　哲学者だった父（高階順治）は美術を研究していたわけではなかったけれど、展覧会にはよく連れて行ってくれました。当時はもっぱら上野の東京府美術館（現・東京都美術館）で、文展系のものを見ていました。他におもしろかったのは、日独伊三国同盟に基づいて昭和17年（1942）に開催されたレオナルド・ダ・ヴィンチ展。原田さんなんかまだ影も形もない頃ですよ（笑）。科学技術者としてのレオナルドを紹介するもので、油彩画は来ませんでしたが、デッサンのコピーや飛行機、戦車の模型が並びました。その他には大東亜戦争の絵画展。藤田嗣治も出品していたんじゃないかな。それと、大東亜共栄圏ということで、インドのアジャンタの壁画を紹介する展覧会もありましたね。

原田　難しい時代だったと思いますが、様々な展覧会があったんですね。

美術作品は生き証人

高階　去年、東京と京都で開催された藤田の展覧会を見たんですけど、藤田が昭和18年（1943）に描いた小さな風景画がありました。大きな木が風にあおられてしなっている。その下をマントを風に持って行かれないように歩く旅人がいる絵なんです。それを見た時に突然、これは子供の頃に東京都美術館で見た絵だと気付いた。昭和18年に新文展に出ていたものだということがわかって、父が「なかなかいい絵だね」と言っていたことが突然、よみがえってきました。人間の記憶って不思議ですね。ところで、原田さんの小説は史実とフィクションの境目がわからないのがおもしろい。

原田　小説家というのは華麗なる嘘つきだと思っています。でもだからこそ、美術史を研究しておられる専門家の方々への敬意はけっして忘れてはいけないと思うし、申し訳ないと思う部分もあります。研究者は資料にないことは書けないじゃないですか。

高階　でも本当の歴史家は、資料がないところにも本当のことを見つけるんです。ヒストリーはストーリーですから。イタリア語でストリコと言えば、歴史家であり物語作家のことです。美術史は歴史を支えていると思います。手紙など古い史料を調べつつ、偽物があるかもしれないから史料批判もします。そうしたものを元に、原田さんのような作家が「関ヶ原の合戦はこうだった」などと書くわけですよね。本当なら、家康本人に聞くのが一番いい。それができないから、残されたものに当るんです。そうした史料のひとつが美術作品。当時作られたもので、今に残っているわけだから、美術作品は生き証人です。その美術作品にものを語らせるのが、美術史家です。

フランスへ

原田　少年時代のお話に戻りますと、先生はいつから美術史家を目指そうと思われたんですか？

高階　戦前はふつうの軍国少年で、飛行機に乗ろうとか海軍軍人になろうとか、漠然とそんなことしか考えていませんでした。本を読むのが好きだったので、美術というよりむしろ文学、それもフランス文学に興味を持つようになりました。そもそも西洋美術が見られる美術館なんて、まだ身近になかった。旧制高校時代に和辻哲郎の『古寺巡礼』を読んで仏像に興味を持っていたし、日本の歴史も好きでした。昭和19年（1944）、小学校6年生の時に修学旅行で京都・奈良へ行く予定だったのですが、終戦直前で旅行が中止になり、憬れの京都・奈良へ行けたのは新制大学に入ってからの夏休み。当時はまだ配給制で、お米や外食券を携えて宿に泊めてもらいました。もちろん観光バスなんてなかったので、斑鳩の里をひたすら歩き回った。法華寺に行った時には若い娘さんが「学生さんですか、どうぞ」とお蔵へ連れて行ってくれて、鍵を開けてそのままひっこんじゃった。おかげでゆっくりと見られました。

原田　のどかな時代ならではの、豊かな体験ですね。

高階　新薬師寺へ行った時にはお坊さんが奈良の他のお寺まで案内してくれて、聖観音像や十二神将のことなどを無料で教えてくれました。当時は日本美術史をやりたいとも考えていました。一方で、フランス文学やフランス映画にも親しみ、フランスへ行ってみたいという思いもあったんです。大学院在学中にたまたま、フランス政府による留学試験に通りました。専門は何をやるんだ？と訊かれた時に、映画を見てきますなどと適当に答えるわけにもいかなくて、一緒に行く仲間には文学や歴史をやるというのがいたから、じゃあ僕は美術史をやります、と言った。まだフランス美術を見たこともなかったのに。卒業論文も美術ではなくて美学、ベルクソンだったんです。フランスでルーヴル美術館へ行ったり、地方の教会を見て回るうち、美術を仕事にしようと思うようになりました。

ル・コルビュジエと藤田

原田　サンフランシスコ講和条約が結ばれたのが昭和26年（1951）、国交が回復して、吉田茂が国立西洋美術館の礎となった松方コレクションの返還交渉にフランスへ行ったのが昭和28年（1953）。先生がパリに渡られたのが昭和29年（1954）。

高階　そのとおりです。私の前に既に遠藤周作さんや、美術史家の柳宗玄（やなぎむねもと）さんもフランスに留学されていました。

原田　そして先生がお戻りになったのが今から60年前の昭和34年（1959）。国立西洋美術館が開館した記念すべき年ですね。

高階　美術館を開館するから帰って来いと言われたんです。開館したのが6月で、私は帰国直後の7月から職員になりました。まもなく国立西洋美術館ではル・コルビュジエ展を開催しますが、コルビュジエの弟子の坂倉準三さんが日本に帰国されてコルビュジエの著書『輝く都市』と『マルセイユの住居単位』を翻訳された時に、僕は学生で、翻訳をお手伝いしました。それで、坂倉さんが「フランスに行って美術史をやっている学生がいる」と僕のことを推してくれたんです（国立西洋美術館の設計者はコルビュジエだが、実施設計は弟子の前川國男、坂倉準三、吉阪隆正が担当）。

　渡航時に話を戻すと、フランスへは1ヶ月以上の船旅でした。マルセイユ港に着くと、「ムッシュ高階、お迎えの人が来ています」と言われました。何かの間違いじゃないかと思ったら、マルセイユの柔道クラブの副会長という人が来ていた。実は、前年に画家のイヴ・クラインが柔道をするために日本に来たことがあって、僕はクラインが教えていた東京日仏学院でバイトをしていたものだから、わりと仲がよかったんです。そのクラインから聞いたと言うんです。クラインは講道館（明治15年［1882］に嘉納治五郎が創設した柔道の総本山）で黒帯を取っているんですよ。

原田　クライン・ブルーじゃなくてクライン・ブラック！（笑）

高階　それでさっそく、案内しますけどどこが見たいですかと訊かれたので、コルビュジエの集合住宅ユニテ・ダビタシオンを見たいと言ったら、向こうは、あんなヘンなものを見たいのか？とびっくりしていました。マルセイユでは評判が悪かったようで。でもスクーターに乗せて案内してくれて、住宅の中まで見せてもらうことができた。その後は晩御飯をご馳走になって、道場に連れていかれ、お手合わせをお願いしますと言われて、困った。僕は中学校の時に柔道はやったことがあったけれど、正式に習ったことはない。その時は講道館は無益な試合はしない、精神的なものが大事なんだとかなんとか言って、結局はやらないでごまかしました。

原田　まさかコルビュジエの話から柔道の話になるとは！

高階　そういえば藤田嗣治も講道館で二段を取っています。だからフランスで変な格好をしていて酔っ払いにからまれた時にそいつを投げ飛ばせた。戦前、石黒敬七という有名な柔道家がパリに柔道教室を開くことになったので、その宣伝用の写真を撮るのに、藤田に協力をしてほしいと言ってきたことがありました。藤田は、よし、俺が勝っている写真ならば撮ってもいい、と言ったそうです。でも石黒としては、自分が勝っている写真じゃないと困る。そこで一計を案じ、「蟹挟（かにばさみ）」という技を写真に撮ろうと提案。これは非常に危険な技で、現在は禁じ手ですが、文字通り、両脚で相手の上半身を挟んで引き倒す横捨身技なんです。技をかけている側は横に倒れるので、本当は藤田が勝っているんだけど、石黒が投げられる前の瞬間は、知らない人が見たら、石黒が勝っているように見える。最近、研究者がこの広告写真が出ている当時の新聞を見つけたばかりです。歴史には本当にいろんなことがありますね。

アーティストの華麗なる嘘

原田　先生は早い時期にフランスへ行かれ、世界的な視野に立ってお仕事をされていますけど、青春時代に勉強されたことが、今のような未来に生きてくるだろうということは想像していらっしゃいましたか？

高階　まず、フランスに行く前は、実際に見られる日本美術はお寺の仏像だけだった。ところが戦後、日本は文化国家であることをアピールするために、アメリカやヨーロッパで日本美術展をやるようになりました。パリに雪舟や俵屋宗達が来た。僕はフランスで初めて古い日本絵画を観ることができたんです。日本に比べるとヨーロッパは乾燥しているから加湿器が必要ということになり、そんなものはなかったので、ストーブの上に薬缶をかけて、屏風の後ろに置いていました。屏風の奥から湯気が出ていた。そんな無理をしてまで、日本から名作を持ち出したんです。ちょうど僕が修士論文を書いていた時期で、一所懸命勉強して、フランス人の先生方に日本美術について説明をするような機会もありました。その時にみなさん、日本美術の素晴らしさに興味を持ってくださるんだけれど、日本人とは見方が微妙に違うなと感じることがありました。そんな体験があったので、大学では西洋美術を教えていましたが、日本美術も知らないといけないと思いますし、シルクロードから薬師寺につながる流れ、明治以降の欧米との交流、また異文化における美意識の共通点や違い、そういうことにはずっと大きな関心を持ってきました。

原田　21世紀は多様性の時代と言われます。一方では自国中心主義が強まってもいますが。美術に関しても、別の分野でも、モノラルではなくマルティプルに、様々な角度からものを観ることは、戦後の高階先生の世代から始まってすこしずつ肉付けされてきたんだと思います。私は、先生と平山郁夫先生との共著『世界の中の日本絵画』が大好きです。ルネサンス時代と安土桃山時代にはそれぞれ人間賛歌的な潮流があって、交流のなかったはずの地域でも世界的に同じような動きが見られる。美術はもちろん作家の力もあるけれど、観る人、守り伝える人の力も大事ですね。

高階　フェルメールだって一時期は忘れられていたのが再評価されましたね。フェルメールってオランダの庶民のすごく静かな日常生活を描いてますけど、実際には子供が十何人もいて、騒がしくて、生活も困窮していて、ベッドが足りなくて一時期、階段で寝ていた子もいたんですよ。自分の絵も他の人の絵も並べて一緒に売って、生活費を得ていた。彼の作品のような静謐な空間とは別世界に生きていたはずです。じゃあ彼の絵は真実ではなかったのか？　残された絵は何を言いたかったんだろう？　こういう空間が欲しいという願望だったんだろうか？　その証言を、絵画からどのように聴き取るかが重要です。

原田　アーティストも、小説家同様、華麗なる嘘つきなのかもしれませんね。

（2019年2月7日　東京・西洋美術振興財団理事長室にて）

【インタビューを終えて】

高階先生との対話の間じゅう、【高階秀爾】という美術辞典の項目を読んでいる気がしていた。知と美の引き出しを無限に持つ先生は、アートのすばらしさをわかりやすく説く。私は学生時代に先生の『近代絵画史』を読み、アートとともに生きようと決めた。作家になるとき、ペンネームは先生がモダンアートの祖と定めたゴヤの《裸の／着衣のマハ》から拝借した。高階秀爾に私淑し続けて35年。本インタビューは忘れがたい宝物になった。

大野和士

おおの・かずし

指揮者／カタルーニャ国立バルセロナ交響楽団音楽監督

1960年、東京生まれ。東京都交響楽団音楽監督ならびに新国立劇場オペラ芸術監督を務める。これまでにクロアチア、ザグレブ・フィルハーモニー管弦楽団音楽監督、バーデン州立歌劇場音楽総監督、ベルギー王立歌劇場（モネ劇場）音楽監督、リヨン国立歌劇場首席指揮者などを歴任。リヨン国立歌劇場任期後にはフランスの芸術文化勲章オフィシエを受章。その他、日本芸術院賞、サントリー音楽賞、朝日賞など受賞多数。文化功労者。2022年9月ブリュッセル・フィルハーモニック音楽監督に就任。

原田　今回は、大野さんが音楽監督を務めていらっしゃるバルセロナ交響楽団の本拠地、ラウディトリ（ラファエル・モネオ設計のコンサートホール）にやって来ました。大野さんが初めてバルセロナにいらっしゃったのは？

大野　２００３年です。ベルギー王立歌劇場の音楽監督としてリセウ大劇場で指揮をしました。ベルギー人作曲家の現代オペラを演奏したのですが、７回公演全部が売り切れ。カタルーニャの聴衆たちは、新しいものも含め、文化的なプロジェクトに対して非常に貪欲なのだな、と感じました。

ガウディの総合芸術

大野　それからしばらくして、今から10年ほど前にバルセロナ交響楽団を指揮する機会があり、芸術監督が、シーズン中で私の指揮による演奏がいちばんよかったと評価してくださいました。それでバルセロナに来ないかと声をかけてくださったのです。当時、私はリヨン歌劇場の指揮者だったので、すぐには無理でしたが、２０１５年にこちらに来ました。最初の演奏会が、サグラダ・ファミリアの中で行われた史上初のオーケストラ演奏。１００人近い楽団員と、80〜90人の合唱団が参加、ＮＨＫが海外で初めて８Ｋのハイビジョン撮影をしました。

原田　まだ完成していない聖堂、しかもコンサート用に設計されたわけでもない建物で演奏とは、ガウディもびっくりしたでしょうね。

大野　いや、意外とびっくりしていないかもしれませんよ。というのは、ガウディのパトロンでグエルという人がいるんだけれど、グエルはガウディをリセウ大劇場の演奏会に連れて行ったことがあります。演目はワーグナーのオペラ『パルジファル』。天と地が一つになるような壮大な舞台を見たガウディはグエルに「私も総合芸術がやりたい。できるだろうか？」と言ったそうです。ガウディは、大地のエネルギーを人間の足から昇らせて天に届かせるようなことを、建築で表現しようとした人。美術、照明を含めて、「総合芸術」と言ったのでしょう。限られた人生の中で、そうしたものを身を賭して作りたいという意味だったんじゃないかと思います。

4歳でベートーヴェンに興奮

原田　大野さんは元々音楽好きの少年だったとのことですが、最初に聴いた曲は覚えていらっしゃいますか？

大野　4歳頃に聴いた音楽で、まるで昨日聴いたような感じがするのは、ベートーヴェンの交響曲第3番『英雄』。最初の二つの和音コードを聴いた時、脳天に何かが落ちてきたような衝撃がありました。破壊的ではなく、創造的な衝撃だった。もちろんレコードで聴いたんですけど、ジャケットには、眉間にしわを寄せたベートーヴェンが荒野に立って遠くを見つめている絵が描かれていた。こんな顔をしていないと、こういう曲は作れないのかと思いました。怖い顔だけど、崇高。音を聴いて喜んじゃって、床の上を転げまわりました。

原田　かわいい（笑）。言葉にできないけれど、身体で反応していたんですね。それから次第に音楽の道を目指されたのでしょうか。

大野　まずは兄の真似をしてオルガン教室に通いました。また、一般家庭に自動洗濯機が普及した'60〜'70年代は、ヤマハやカワイが「一家に一台、ピアノを置こう」と呼びかけ、ボーナスでピアノを購入することを推奨する時代でもあった。母親に「うちにもピアノを入れよう！」と頼んで、買ってもらいました。ツェルニーなどの練習曲のおさらいもしましたが、それとは別に、自分が聴いた管弦楽の音をピアノで再現してみることを始めました。私はショパンとかリストのような、右手でぱらぱらと装飾的な音を出す音楽がそれほど好きではなかったんです。左手でバーンと弾いて、中音域が安定したところに旋律が乗っかる、土台が安定した音楽が好きだった。そのうち、交響曲を組み立てているのが指揮者だということを親に教わって、指揮者になりたいと思うようになりました。

原田　それで東京藝術大学の指揮科へ進まれたんですね。

大野　大学の4年間は実体験ができないことに悩まされました。藝大には非常勤の講師の方々で構成されているプロフェッショナルなオーケストラがあったのですが、その指揮をさせてもらえるのは年に1度ぐらい。アマチュアのオケは指揮者を見て演奏する習慣がないので、練習にならない。指揮者とオーケストラの関係って、電車に例えると先頭車両と2両目以降のようなものです。運転手がアクセルを踏むことで先頭車両が動き、2両目が、そして3両目、4両目も動きだす。これが走行の原理です。指揮者は曲をどのように始め、どんなテンポで、どこへ向かうのか、あらかじめちょっと先に行って示さなくてはいけないんです。

原田　見えない糸で引っ張っている。

大野　そのとおりです。オーケストラを指揮する機会を増やしたくて、私はコンクールに参加しました。最後の方まで残ると、プロのオケの指揮を振らせてもらえるから、コンクールには指揮をしたくてフラストレーションのたまっている私のような若者が集まってきました。じっさいに振って、それでやっと審査員に自分の真価をわかってもらえる。

　ほかには、オペラの下稽古に行って、ピアノの伴奏をさせてもらっていました。2〜3時間のオペラの立稽古に参加して伴奏をすると、指揮者やプロの歌い手さんたちのダイナミズムが分かってくる。その中で、自分だったらここをもっとこんなふうに引っ張るぞ、などと考えていました。

　22歳のとき、民音コンクール（現・東京国際音楽コンクール）で初めて指揮者としての賞をもらいましたが、2等賞でした。すごく悔しくて、がっかりして、親や作曲の先生と一緒に、お通夜みたいな顔をして帰宅したことを覚えています。でも、そのうち、よし力試しをしよう！と海外のコンクールに参加することにしたんです。

　1986年に初めて参加したハンガリーのコンクールでは、4等賞でした。それなのに審査員だったザグレブ・フィルハーモニー管弦楽団の音楽監督が、ザグレブで指揮をしないかと、呼んでくれました。パヴレ・デシュパリという大指揮者。すごくやる気になって猛勉強しました。2回目に呼んでもらった時に「私たちの町に住みませんか。あなたには、1等賞とか2等賞とか、そんなふうにはわけられない何かがある」と言ってくれたんです。

原田　プロポーズですね。

大野　ギギギギッと、やっと重い扉が開いて、向こうから細い光が見えてきた。それが、私がプロの指揮者になれた転機です。

内戦地での演奏活動

大野　ザグレブでは最初、マーラー、ブラームス、チャイコフスキーと、私がまだやったことのない曲も含めて毎週、4日練習しては本番をやりました。すごく大変でしたけど、その頃、若い指揮者にマーラーの交響曲を全部振らせてくれるところなんてなかった。指揮者になるために絶対に必要なレパートリーを身に付けてゆきました。せっかく呼んでくれたザグレブの人たちの期待に応えたいという気持ちもありました。また、私が挑戦的なことをしても、団員さんたちはそれを受け止めて返してくれると信じていました。オーケストラの演奏というものは、指揮者のちょっとした動きで決まる。音のタイミング、フィーリング、ニュアンス――指揮者の中に埋め込まれている感性を読み取ってくれる団員がいてこそ、です。団員から、こいつにやらせてやるか、と信頼されないと、それらは伝わりません。

原田　それが本当の交響曲ですよね。一方的に与えるわけではなく、お互いに響きあうわけですから。しかしザグレブは当時、内戦状態だったのでは？

大野　私が行った1986年のクロアチアはまだユーゴスラビア連邦の共和国の一つで社会主義体制ではありましたが、西側諸国からの物資の流入もあって、とても過ごしやすかった。美しい自然の風景も広がり、時がゆったりと流れていました。内戦は'91年から始まって'95年まで続きました。私たちが練習している時に空襲警報が鳴ると、団員たちは自分の家族のことを考えて、「和士、今日の練習はこれで終わりだ」と出て行きました。練習が続けられないことに苛立って、譜面台をバーンと床に叩きつけたこともあった。やるせなかったです。自宅にいるときに警報が鳴ると、コンクリートで囲われた水漏れのする地下の防空壕へ避難し、乳呑児を抱えた女性やおじいさんなど近所の人たちと一緒にじっとしながら、私は何のためにここにいるんだろう、日本で親は何をしているんだろう、などといろいろなことを考えていました。

それでもオーケストラは一度もキャンセルすることなく演奏会を続け、気がついたら会場の熱気は以前より高まっていました。お客さんの数が増えていったんです。灯火管制で暗くなった道を、みんな黙々と演奏会に来て、帰っていく。なのに、演奏会自体は情熱のかたまりのようで、演奏の後は日常的には絶対に出せないワーッという感動の声が聴こえてきた。考えてみたら、自分は日本人の指揮者だけれど、演奏者の中にはセルビア人もクロアチア人もいる。ロシア人やフランス人のソリストもいる。この国は今、民族紛争のさなかにあるけれど、音楽を奏でる人やそれを享受している人たちの中には、そうしたものをはるかに超えたインターナショナリズムがあるんだ、と気がつきました。いろいろな国籍の人たちが、音を出すという個々の責任のもと、一緒になって彫刻のような響きの渦を作っていた。人間としての様々な器官を通した感覚を融合させる、まさにベートーヴェンの第九の歌詞、すべての人類が兄弟になる、という一節と同じです。おそらくそこにいたみんなが人間の危機を感じ、この場を共有しなければ、自分が生きていることにならないと思っていた。なぜならそれが人間の証明だから。人間性を脅かすものがある時、私は音楽を提供することで音楽家として立ち向かっていこうと、その時、覚悟しました。

原田　１９３７年、ナチス・ドイツの空軍がスペインのゲルニカを爆撃した際、ピカソが筆一本で立ち向かい、傑作を描いた史実を元に私は『暗幕のゲルニカ』という小説を書きました。今のお話をうかがっていて、ザグレブでの指揮はまさに、〝大野和士にとってのゲルニカ〟だったのではないか、という気がしてきました。

カザルスの『鳥の歌』

原田　過去から現在に至るまで、カタルーニャに育まれた3人の「パウ」がいる、と私は思っています。ひとりはパブロ・ピカソ。パブロはカタルーニャ語ではパウになります。それから20世紀最大のチェリスト、パブロ・カザルス。そして、現在活躍中の大野和士。
大野　なぜ私がパウなんですか？
原田　和士の「和」は平和の和。パウは平和という意味だそうです。
大野　なるほど、一本とられました！
原田　大野さんが今指揮をされているバルセロナ交響楽団の前身は、カザルスが１９１９年に作った楽団。だから今年で１００周年ですよね。その１００周年を記念して、大野さんが第九を振られる。この夏にはバルセロナ交響楽団初の日本ツアーもありますね。
大野　カザルスが１００年前に作ったオーケストラには、カタルーニャ人以外にも、彼を慕うインターナショナルな演奏家たちがいた。スペイン内戦時の１９３９年のことですが、カザルスがオケの練習をしていた時に、フランコ軍がカタルーニャの国境を侵攻してきました。どんどんバルセロナへ向かってくる。そこでカザルスは指揮棒を置いて、「みなさん、練習を続けますか？　やめますか？」と問うたそうです。やめると言った人は一人もいなくて、みんな「マエストロ、なにがあっても続けてください」と言った。その時の曲が第九だったんです。今回は東京公演でも広島公演でも、第九を演奏する予定です。

カザルスは96歳まで長生きしましたが、フランコ政権樹立後は二度とスペイン、カタルーニャの地に戻りませんでした。私が小学校6年生の時、ニューヨークの国連本部でカザルスが有名な演説をして、演奏をしました。カタルーニャを象徴する『鳥の歌』という曲なんですけど、演奏前にカザルスが言ったんです。「私たちの国はないんだ。カタルーニャ人には国はなくて、私たちはずっとそれを求め続けて生きてきたんだ」と。そして、情熱をこめて「この鳥はピース（平和）、ピース、ピースと鳴くのです」と言ったんです。中継をテレビで見て、泣きました。

原田　あのカザルスのスピーチと名演奏、私も繰り返し動画で見て、何度も泣いています。3人目のパウである大野和士さん率いるバルセロナ交響楽団が日本で第九を演奏することは、日本人にとって最高のギフトだと思います。ぜひ広島にピースという鳥の声を響かせていただきたいです。

（2019年3月14日　バルセロナ、ラウディトリにて）

大野和士

【インタビューを終えて】

7年前『暗幕のゲルニカ』の取材で単身バルセロナを訪れた。今回、大野和士が指揮するバルセロナ交響楽団の演奏を聴きに再訪。本番前に大野さんが会場に現れると「マエストロ！」と団員たちの顔に光が射す。指揮台に立てばたちまちそこに強烈な磁場を作り出す。「どんな状況下でも感動できる、それが人間の証し」と言う大野さん。7月、日本にバルセロナを連れてきてくれる。3人目の「パウ」が繰り出す平和の音。お聞き逃しなく！

伊勢英子／いせひでこ

画家／絵本作家

1949年、北海道生まれ。1972年、東京藝術大学大学院在学中にパリへ渡り、14ヶ月滞在。帰国後に挿絵の仕事を始める。1988年、野間児童文芸新人賞を受賞。1994年、産経児童出版文化賞、1996年に同美術賞を受賞。2007年、『ルリユールおじさん』で講談社出版文化賞絵本賞を受賞、パリで原画展を開催。2011年、世田谷文学館で「旅する絵描き　いせひでこ展」を開催。

原田　伊勢さんには昨年の6月から今年の4月までの10ヶ月間、「週刊文春」に連載した私の小説「美しき愚かものたちのタブロー」に挿絵を描いていただきました。国立西洋美術館の核となったコレクションを築いた実業家・松方幸次郎（まつかたこうじろう）に関する小説ですが、今年5月末に単行本化され、その装画も伊勢さんにお願いしました。私の原稿がいつも遅くて、伊勢さんには本当に、お礼とお詫びの言葉しかありません。でも、伊勢さん以外は考えられなかったんです。絵本作家「いせひでこ」さんの作品は昔から愛読していましたし、「伊勢英子」さんが妹さんと共訳された『テオ　もうひとりのゴッホ』も拝読していました。私は一昨年刊行した『たゆたえども沈まず』という小説で、画商の林忠正とゴッホ兄弟のことを書きましたけど、伊勢さんが訳されたこの本と巡り会わなかったら、あの小説は生まれなかった。それで、担当編集者に、無理を承知で伊勢さんに挿絵をお願いしたいとお伝えしました。

23歳の自分に戻る

伊勢　「美しき愚かものたちのタブロー」というタイトルで、もう心は半分「ウィ」に傾いていました。〝美しき〟は愚かものたちなのか、タブローなのか、とても興味深かったのです。でも最初に原稿もプロットもないと言われた時は、これはやりたくてもできないと思った。ところが連載開始の2週間前に第1回目の原稿をいただいたら、オランジュリー美術館のモネの睡蓮の部屋のシーンから物語が始まっている。23歳の時に私が初めてオランジュリーに行って、モネの展示室の真ん中にあるソファに倒れ込むみたいに座ったその感覚がよみがえってきました。この小説は、まだ美術を知らなかった松方が絵を買い集める話、松方が初めて印象派に触れた時と同じ感覚になれば描ける、と思った。全42回、毎回全力投球したかったから、この間、絵本は1冊も描けませんでした。

原田　本当にお詫びしなきゃ！　でも私もこの間、他の小説の連載は全て止めていました。

伊勢　マハさんの原稿が届くのがだいたい日曜日で、水曜日には渡さなきゃならなかったので、丸1日は調べものをして、2日で描いてましたね。

原田　伊勢さんはランナーズ・ハイになっていらっしゃるかもと、勝手にポジティヴに解釈していました。もちろんすごく努力してくださっていることは感じていましたけど、考え込んで止まっている印象はなかった。心と手がつながっている、すごいアーティストだなと思って、毎回、私も励まされました。

伊勢　挿絵執筆中にアトリエの引っ越しがあって、実家から20代の私がパリで描いた絵が出てきたのは、偶然ではないような気がしました。大学院の途中で日本を飛び出して、フランスでモネやゴッホを見ていた頃の、絵描き未満だった自分が、ふしぎと松方に重なる。松方は美術に打たれる心は持っていた。私もとにかくクレーやルドンや誰かの真似をして、パステル、水彩、アクリル、いろいろな画材で、「描くこと」「表現すること」にのめりこんでいきました。あの頃、魂だけはすごく柔らかかった。そのことを書きたくなって、今回の小説の挿絵と、パリ時代の習作にエッセイを書き下ろして7月に画文集『旅する絵描き タブローの向こうへ』を刊行することにしたんです。そうそう、原画はカラーですけど、「週刊文春」では白黒になるから、どんな色を使ったら誌面でいい感じの白黒になるかを、今回学びました。

伊勢英子／いせひでこ

原田　ピカソは《ゲルニカ》をモノトーンで描いていますけど、彼は自分の絵がマスメディアにのって、新聞紙面で報道されることを意識していたんですよね。ピカソが見た新聞のゲルニカの空爆の写真もモノクロですから。悲惨さは色では伝わらない。20世紀になって、アートはプロパガンダとしての役割も担うようになってきた。伊勢さんは実際に手を動かして、それを発見されたんですね。

伊勢　100年遅れているわ、私（笑）。でも今回、本当に学んだことが多かった。マハさんが小説の中で、ゴッホが描いた《アルルの寝室》について、〈灰色がかった青い壁〉〈そのすべてに、ふうっと浮かび上がってしまいそうな浮遊感があった〉と表現していらしたので、ベッドや家具などモチーフを模写してコラージュしてみたら驚いた。黄とオレンジばかりで落ち着かないの。だからゴッホはあえて背景に青を置いたんだなと、納得した。自分で体験しないとわからない。私、本当に何でも遅いんです。

絵に親しみ、チェロを弾く

原田　ところで時間をぐっとさかのぼって、伊勢さんの幼少期のお話をうかがいたいのですが。

伊勢　記憶にはないけど、2歳頃から絵を描いていたらしいです。父は絵の方向に進みたかったのに、親の反対にあって、北海道の銀行に勤めていました。でも日曜画家で、子供に、15センチの線を引いてみろとか、卵を描いてみろとか、面白いことを言う人でした。私は父の煙草の匂いと、いつもスケッチブックが近くにある雰囲気が大好きでした。母は教育ママで厳しかったので、母の意に反することを言っちゃいけないと感じて、黙って絵を描いているのが一番楽でした。年子の妹と夜中まで隠れて絵を描いていましたね。だから気づいたら絵が言葉になってしまっていた。中学では美術、高校では音楽クラブに入っていました。13歳からチェロを習っていたんです。

原田 何か、きっかけがあったんですか？

伊勢 小学校の6年間は妹と一緒にバイオリンを習っていたんですが、母からビシバシやられるのが嫌で嫌で。中学で東京に引っ越して妹と一緒にバイオリンの教室を訪ねたら、妹さんの方は引き受けてもいいけど、お姉さんはチェロがいいんじゃないですかね、身体も大きいみたいだし、と言われました。私はバイオリンから離れられるなら何でもよかった。そうしたら、なんとカザルスに師事した最初の日本人、佐藤良雄先生を紹介されたんです。

原田 いきなり一流の先生についてしまったんですね。

伊勢 第1回目のレッスンで、先生が、「お母さん、弓で音を出すのは大変なんですよ。お母さんもおやりなさい」と言われたんです。きっと先生は母が教育ママで私が抑圧されていたことを見抜いたんでしょう。芸術家気質の母は一所懸命やって、最初の教本を1巻終えるところまで続け、弾くということがどんなに大変かわかったから、もう怒らなくなりました。先生の指導はカザルスと同じで絶対に怒らない。私が何度も同じところを失敗しても、困った顔をするだけ。だから、先生にあんな悲しい顔をさせないために来週はちゃんとやろう、という気持ちになりました。藝大の美術学部に入った後も、他大学の音楽科同士が交流のような形でやっている音楽学部のオケで、もぐりで弾かせてもらっていました。以来、チェロはずっと趣味で

伊勢英子／いせひでこ

続けています。

原田　結局、美術の道を選ばれたんですね。

伊勢　高校3年生になって進路を決めなければならなくなると、また母が迫ってきたんです。「音楽と絵と、どちらを捨てたらあなたは生きられないの？」って。

原田　すごい質問。お母さん、センスありますね。

伊勢　母は東京の人でしたけど、戦争のために大学に行けなくて、疎開した北海道で父と出会って若くして私を生んで、やりたいことがいっぱいあったのに、東京のホンモノとか一流と言われるものを自分は手に入れられなかったという思いが強かったんでしょう。それで私は結局、絵を選んだ。その方が身体が慣れていたし、チェロで受験するために必要なピアノを習っていなかったこともあって。それからデッサン教室に通い始めたんです。するとまた、母がすごいんです。私と同じ都立富士高校から現役で藝大に入った女の子がいると聞いて、その子に話を聞きに行きましょうって。五嶋みどりのお母さんみたい（笑）。

原田　やるなら本気でやれ、ということですね。それで藝大に現役合格！

伊勢　まぐれみたいなものです。一次試験は2日間で計8時間かけてのデッサン。緊張して、ものすごい熱を出し、お腹も下しました。それでも通った。一次試験の結果を見たその足で、今度は母と一緒に閉店間際の画材屋さんに飛び込んで、いい筆を買いました。二次試験には水彩があるのに、それまで水彩なんてほとんどやったことがなかったわけです。なのに今度もなぜか通りました。

母から離れてひとりパリへ

原田　藝大に入られた後には何を目指されたんですか。

伊勢　子供の頃から絵本を描く人になりたかったので、そのために藝大に入ったところはあります。でも印刷やデザインについては何も知らなかった、常識もなかった。同級生は2浪、3浪して入ってきているから、みんなおじさん、おばさんみたいな人ばかりで、すごく馬鹿にされましたね。何かというと「お母さんに聞いてみる」と答えていたので、最初についたあだ名が「伊勢ママ英子」。卒業制作ではアンデルセンの『雪の女王』を描きました。デザイン専攻だったので、卒業後、電通や博報堂に行く人が多かったけど、私はもっと勉強したいと思って大学院に進んだんです。でもちょうど学生運動が激しい頃で、大学に機動隊が入ったりして、もうこんなところでアカデミックなことを勉強してもしょうがないんじゃないかと、パリ行きを考えました。銀座の画廊かどこかでパリ2週間の安いツアーのチラシをみつけて、勝手に申し込んで、親に内緒でパスポートを取りました。このまま母親から離れられないと、ただのママのお気に入りで終わっちゃう、という危機感もありました。それで、パリへ行ってから、帰りのチケットを捨てたんです。

原田　えっ！　いきなり大胆ですね。

伊勢　親にはもちろん、ちゃんと手紙を書きました。（語学学校の）アリアンス・フランセーズにすぐ登録したけれど、やっぱり言葉は難しくて、学生同士での議論なんか、全然参加できなかった。よく考えてみたら、フランス語以前に私は日本語でも自分の言葉を持っていなかったということに気づいて、フランスにいながら、日本語の本――小林秀雄だの、翻訳された『ジャン・クリストフ』だのを読んでいました。本当に、絵描き未満でしたね。

原田 パリにはどれぐらい滞在されたんですか？

伊勢 1年2ヶ月でした。自分は何も持っていない。敗北感でいっぱいでしたが、日本に戻ると卒業制作を持って出版社巡りをして、すこしずつ挿絵の仕事をいただくようになりました。初めて絵本の仕事ができたのは30代に入ってからです。同じ頃に、大好きな宮沢賢治の童話シリーズも手がけました。私、挿絵の仕事はたぶん100冊ぐらいやっているんですけど、それが絵本の仕事につながっていったのは後で気が付いたことで、若い頃は挿絵の場合は作品によって描き分けをしなきゃとか、ヘンにとらわれていたところがありました。あの頃の自分では、今回のように、マハさんに応えるという形のものは描けなかった。

原田 お話をうかがっていると、伊勢さんは幼い頃からずっと求めてきたことが今のようなお仕事につながったということを、当たり前とは思っていらっしゃらないような感じがします。一回ずつが全力投球で、それを人生の糧にされている。宮沢賢治やゴッホやカザルスへのあふれんばかりのリスペクトがあって、それに向きあって描いていらっしゃるのは、最初から感じていました。私も、特にアートの小説を書く時には、偉大なる先人たちが残してくれたものをどう次の世代にバトンタッチするべきか、と考えています。先人たちの偉業を言葉というメディアを使ってアウトプットするのが私の仕事で、そういう意味で、『美しき愚かものたちのタブロー』を書いている間はずっと〝箱〟になっていた。伊勢さんも私の言葉経由で松方ら登場人物を受け入れてくださって、ご自身のマジックボックスの中でアレンジして出してくださった。伊勢さんご自身が〝美しき箱〟、そんな気がしています。

今日の午後には国立西洋美術館の「松方コレクション展」の内覧会にご一緒できるわけですが、今日が何の日かご存知ですか？ 6月10日は、国立西洋美術館がちょうど60年前に開館した日なんです。

伊勢 すごいですね。マハさんの小説がこの日に間に合った！

原田 小説の最後の章は、60年前の今日の場面です。こうして物語の輪を閉じることができて、本当に嬉しいです。

（2019年6月10日　東京・伊勢英子氏のアトリエにて）

【インタビューを終えて】

大人になってから出会った伊勢さんの絵本は私の宝物。その憧れの絵本作家に、まもなく始まる連載の挿絵を依頼したいとひらめいた。差し迫っての依頼は断られる可能性も大きかった。それでもなんでも託したかった。結果、伊勢さんの絵は、私の物語の翼になった。今回原画を拝見して、色の美しさに胸が打たれた。モノクロページなのに、こんなにも豊かに彩色してくださった伊勢さん。画文集と原画展、多くの人に見ていただきたい。

伊勢英子／いせひでこ

谷川俊太郎

たにかわ・しゅんたろう

詩人

1931年、東京生まれ。父親は哲学者の谷川徹三。1948年、詩作を始める。1952年、処女詩集『二十億光年の孤独』を刊行。1975年、『マザー・グースのうた1〜3』で日本翻訳文化賞を受賞。1983年、読売文学賞を受賞。1993年、萩原朔太郎賞を受賞。2010年、鮎川信夫賞を受賞。2018年、東京オペラシティ アートギャラリーで谷川俊太郎展が開催される。

原田　今日は、谷川さんのご自宅を訪ねるという夢がかなってとても嬉しいです。今も各方面でご活躍されていて。

谷川　脚が弱っていて外に出たくないから、あまり活躍していませんよ。いま一番重荷なのは、「ピーナッツ」の翻訳です。今度、河出書房新社から全集が出るので、１９５７〜５８年の、全然訳されていない部分をやっているんです。

原田　私は子供の頃から谷川さんの詩のファンでしたけど、スヌーピーも大好きで、スヌーピーの漫画の翻訳者が谷川俊太郎だと知った時は、衝撃を受けました。私、詩を作るのが好きな子供だったんです。谷川さんの詩はとにかくとても自由で、共感したり共有したりしやすい。

谷川　僕自身が中学の時から学校に行くのが嫌で、縛られるのが大嫌いでしたからね。散文の場合はある程度読みこまないと感動できないけど、詩はもしかするとたった3行でも共感できるかもしれません。また子供に戻って詩を書き始めれば？　散文をずっと書いてこられたから、詩の方に行くといいかもしれませんよ。

耳の人

原田　私はずっと詩人に憧れつつも、世界で一番なるのが難しい職業だと思っていました。漫画家か画家か詩人になりたかったのですが、結局、そのどれにもなっていません。宮沢賢治が大好きで、宮沢賢治と結婚するのが夢でした。

谷川　僕はベートーヴェンの下僕になるのが夢だったんだ。中学1〜2年の頃、ベートーヴェンに夢中でね。

原田　音楽も含め、美術や文学など広い意味でのアートに触れた最初のきっかけはどういうものだったのでしょう。

谷川　なにしろ父（谷川徹三）が大学の哲学の先生で、すごく美術が好きで、古いものなどを集めていた。だから毎日使う皿や小鉢なんかにも、ちょっといいものがあったりして、知らず知らずのうちにそういうきれいなものを見るのが好きな子になっていたとは思います。それから、自分で嫌いなものははっきり嫌い、とわかるような子供ではあったね。

　ただ、僕はわりと目の人じゃなくて、耳の人なんです。うちは父が目の人、母が耳の人。母はピアノが上手くてね。だから最初に目覚めたアートは、音楽です。「海ゆかば」という信時(のぶとき)潔(きよし)が作曲した歌曲が好きでした。ラジオの戦争ニュースでは勝ち戦だと「軍艦マーチ」、どうも負け戦らしいという時には「海ゆかば」が流れていました。歌詞は万葉集の長歌で、「海ゆかば　水漬(みづ)く屍(かばね)　山ゆかば　草生(む)す屍」って、とにかく大君のために死のう、みたいな詞ですが、僕はその西洋音楽的なハーモニーに惹かれたんです。それから父が持っていたベートーヴェンのレコードを聴き始めた。父はすごくぶきっちょな人で、レコードの針を落とすことさえ上手くできなかったから、レコードは持っていても実際にはあまり聴いていなかったんです。CDが出て以降は、プレーヤーのボタンを押しさえすれば聴けるわけだから、晩年にはベートーヴェンの弦楽四重奏曲を一番よく聴いていたんじゃないかな。その時に父が読んでいたのは、ゲーテの『ファウスト』。

原田　すごいセッティングですね。

谷川　いかにもという感じでしょう？　僕も今はその頃の父と同じぐらいの歳になってきたから、音楽を聴くのは年寄りにとってすごくいいということがわかってきました。意味のあるものは嫌になるの。だからあまり言葉は読めないんだけど、音楽は意味がないでしょう？　それがすごく好きです。それと自然にも意味がないから、自然もいい。父も哲学書をいっぱい読んできて、いい加減、意味のあるものに飽きたんじゃないのかな。晩年は骨董品集めと音楽を好んでましたね。

レコードは当時、ＳＰっていう1分間に78回転のものから、次のＬＰへの転換期で、僕は機械が好きだったので、ＬＰを聴く機械を自作して、ＬＰを買い始めました。モーツァルトのピアノ協奏曲なんかを聴いていました。それと、当時は今みたいにインターネットなんてなくて、外国のラジオ放送は短波ラジオを通して聞くしかなかったんだけれど、そのラジオも自分で作って、オーストラリアの放送なんかが聞こえてくるともう、天にも昇るような心地でしたね。

原田　谷川さんが中学生ぐらいの多感な時期に、戦争が終わりましたよね。

谷川　そう。その後にアメリカの文化が怒濤のように入ってきたという記憶があります。どちらかというと、ラジオとか、ハードウェアの方ですが。

原田　アメリカの文化を拒否するようなことはなかったのでしょうか。

谷川　全然ない。戦争が終わって嬉しい、ということも特になくて。ただ甘いものが食えるとか、そんなことしか考えていない子供だったので、アメリカは大好きでしたね。永六輔さんがだいたい同じくらいの年齢なんだけど、戦争が終わった時に「ああよかったと思った」と書いていらっしゃるのを見て驚きました。僕には家族の誰かを失うような経験もなかったから。戦後、一番憧れたのは、闇市で売っていたポータブル・ラジオ。車にも憧れた。占領軍のジープを初めて見た時には、こんな車があるのかって本当にびっくりしたの。

お金は他者の証拠

谷川　詩との最初の接点は、高校の同級生で家も近所だった北川幸比古(さちひこ)。彼は後に自分で出版社を起こし、児童文学者になるんだけれど、北川の詩を通して詩の魅力に目覚め、彼が誘ってくれたので、高校の文芸誌みたいなものにちょっと詩を書いたのが最初。詩人になりたいなんて全然思っていなかった。何になりたかったかと強いて言えば、プロダクトデザイナーでしたね。

原田　柳宗理さんみたいな。

谷川　そうそう、うちの父が柳宗悦さんと親しかったから、僕も小学生の時から日本民藝館に行っていました。たぶん宗悦さんにも一度ぐらいはお会いしたと思います。宗悦さんの奥さん、声楽家の兼子さんにかわいがっていただいた記憶が残っています。うちの父は民芸のような、作者がわからない無名の人たちが作った古いものが好きだったのは確かなんだけど、新しいものになると、名前のある人の作ったものを集めていました。その父が、僕が最初に買った車、シトロエン2CV(ドゥーシヴォー)をすごく褒めてくれた。ブリキ細工みたいな車。ロールス・ロイスあたりが趣味なんじゃないかと思っていた父親が、これはなかなかいいって認めてくれたんで、それで父の審美眼を信用しました。

原田　ということは、それまで信用してなかった？（笑）
谷川　ちょっと権威主義的なところがあったからさ。
原田　谷川さんは、レコードプレーヤーとかラジオとか車とか、本当に工業製品がお好きなんですね。
谷川　どちらかというとそっちの方が好きで、詩なんてどうでもよかった。
原田　ちょっと力を抜いたところで言葉とつきあい始めた、という感じなのでしょうか。
谷川　いい詩を書こうとか、全然考えてなかったからね。大学にも行ってないし、どうやって生活費を稼ぐかということしか考えていませんでした。詩は書き始めたけど、お金にならない。そこで藝大生の同世代の友人と、歌ならすこしお金になるんじゃないかと、子供の歌の歌詞を書き始めて、だんだんもの書きとして食えるようになったという、そんな出発ですかね。NHKの「ラジオ歌謡」の歌詞とか、「みんなのうた」用の歌詞とか。金を稼げる詩を書くというのが一番のテーマでした。詩で金を稼ぐというのは一番難しいじゃないですか。だからマーケットとかをあたっていって、どんなところでも通用するものを書きたいと思っていました。
原田　それは非常に重要なことですね。経済と創作は実は不可分なんだけど、創作がお金に結びつくのはピュアじゃない、というようなイリュージョンが、読者やアートを愛する人たちの中にちょっとある。
谷川　長い間ありましたね。僕らの頃は明らかに、詩を書いて原稿料をもらうのはけしからん、みたいなところがありました。お金によって社会とつながれるわけだから、お金って他者の証拠でしょう？　他者を動かすためにはお金がちゃんと出てこないとダメだと僕は思っていましたけどね。

原田　創作に対してお金を出す、経済行為を行うということは結局、クリエイターを助けることになり、彼らが生きていくために必要なことです。お金と創作を結びつけることをよしとしない社会は、クリエイターに酷なことを強いてきたわけで。ゴッホの時代からずっとそうでした。ゴッホの作品は彼が亡くなる前には1点しか売れなかった。それが今やオークションで79億円で落札されている。私、ゴッホのお墓参りをするといつも、ごめんねって思っちゃいます。谷川さんがお金のためにお仕事をしていらっしゃったというのは、非常に正しい戦いだったと思います。そのうち谷川俊太郎に世の中が追いついてきたんですね。

詩の姿

谷川　初め僕は詩なんて全然ばかにしていた。男の仕事じゃない、と。20代初めの頃は、武満徹と一緒によくアメリカの西部劇映画を見に行ってたんです。男はピストルぶっぱなして、荒野を開拓して、妻子を呼び寄せて、慎ましく一家で暮らしていく、というのが僕の理想の家族像だった。武満と、男はやっぱりピストルぶっぱなさなきゃダメだって話し合って、コルクが飛び出すおもちゃの鉄砲を買ってきて、紙の人形を立てて撃ってました。

原田　シュールな光景だなぁ（笑）。

谷川　詩というのはとにかくあやしげなものです。事実として確固とした具体的なものがあることを、言葉では1割も言えないじゃないか、というのが僕の基本精神で、言葉と詩をずっと疑っていることが、自分が詩を書くエネルギーになってきたんですよ。だから詩についての詩が多いのね。自分の詩に満足することはないですね。

原田 小説に比べると詩は短くて、たとえば五七五とか、1行で完結するものもあるかもしれない。言葉がどこからやってきてどうやって終わるのかというのは、詩人にしかわからない。これはものすごいミステリーです。

谷川 始まるのはわりと簡単で、要するに意識下から言葉がぽこっと浮かんでくるのが理想なんです。でも注文とか締め切りがあるとどうしても意識から言葉が出てきちゃって、詩としてはつまらなくなることが多い。だからどうやって詩を書くのかと問われた時は、「待っていることが一番大事」と答えます。待っていて出てくれば御の字で、出てこなかったら、他のことをします。終わり方は、詩は物語みたいに完結する必要がないでしょう？　かえって中途半端がいいみたいなところがあるから、まあ、かっこつけるだけでいい。内容よりも詩の姿としてきれいなら、3行でもいいし、30行でもいいんじゃないかな。姿とは、行数と字数です。僕は20行で1行の長さに少し凹凸があるのが好きです。けっこうビジュアルにこだわって推敲しちゃったりしますね。漢字をかなにひらいて、長めにしたり。

原田 ということは、詩として最終的に、パソコンの画面ではなく、詩集を開いて見ることをイメージされていますか？　作品は原稿用紙に書かれているのでしょうか？

谷川 Macで書きます。詩集のイメージというより、プリントアウトした時の感じで見て、あとは編集者任せ。

原田　最初の1枚がご自身のものということですね。
谷川　そうとも言えるけど、言葉は他者からの刺激がないと出てこないから、全部自分が書いたというよりも、日本語がここで生まれました、みたいな感じですね。
原田　これまでお仕事をしてこられて、これだけはやったということと、これはまだやっていないということはあるでしょうか？
谷川　仕事のことではないけれど、これだけはやったというのは、3回結婚して3回離婚したことでしょうね（笑）。私の人生の中でいちばん大きい、リアルなできごとです。詩については、1973年に出した絵詩集『ことばあそびうた』は自分なりに、誰もやったことのないことをやったという達成感があります。これからやってみたいことは、強いていえば死ぬことでしょうか。やったことがないから興味がある。全然違う世界にいけるかもしれないものね。
原田　死ってネガティヴなことととらえられがちですが、さすが、詩人・谷川俊太郎にかかると、楽しみなこと、興味深いことになるんですね。

（2019年7月26日　東京・杉並区の谷川俊太郎邸にて）

谷川俊太郎

【インタビューを終えて】

少年とは、いい大人の男の別称である――と、以前、私は小説の中で書いたものだが、少年とは、谷川俊太郎の別称である――と言い換えたい。谷川さんの言葉は飾りがなくてチャーミング、つまり谷川さんそのもの。詩人って斜に構えて格好つけているものなのかと思いきや、まったく逆。坂道を駆け下りる自転車、その時に感じる風――のような人である。私は荷台に乗って、谷川さんの背中につかまり、風を感じてどこまでも走っていきたい。

青木淳

あおき・じゅん

建築家／京都市京セラ美術館館長

1956年、神奈川生まれ。1982年、東京大学大学院を修了後、磯崎新アトリエに勤務。1991年、青木淳建築計画事務所を設立。1999年、潟博物館の設計で日本建築学会賞（作品）を受賞。2005年、芸術選奨文部科学大臣新人賞を受賞。同年、設計を担当した青森県立美術館竣工。2019年、東京藝術大学教授、リニューアルの設計を担当した京都市京セラ美術館の館長に就任。2021年、京都市京セラ美術館の設計で2回目の日本建築学会賞（作品）を受賞。

原田　初めまして。今日はこの春にリニューアル・オープンする京都市美術館（通称・京都市京セラ美術館）のお話からうかがいたいと思います。たしか日本の公立美術館では2番目に古い？

青木　東京府美術館（現・東京都美術館）が開館したのが１９２６年で、京都市美術館は１９３３年に開館。ただ建物が当初のまま現存している美術館としては、一番古いんです。

原田　そんな歴史的建造物に手を加えるのは、ある種の挑戦ですよね。どのようにアプローチされたんですか？

青木　僕は転勤族の子供で、小学校3〜4年の頃は大阪の豊中に住んでいました。たまたまその時に初めて行った美術館が、京都市美術館です。美術館＝美の殿堂という印象でした。以後、行く機会はなかったけれど、２０１５年にパラソフィア（京都国際現代芸術祭）を見に行ったんです。メイン会場の一つが京都市美で、名和晃平さんがカフェをやったり、真ん中の大陳列室に蔡國強さんがインスタレーションを展示したり。いい空間だなと思いました。やなぎみわさんのトレーラーを使った演劇の会場にもなり、その時は東側の扉が開いていて日本庭園が見えて、東山が望めてすごく気持ちよかった。風水を信じているわけではないけれど、いい気が通っていくようでしたね。

だから京都市がこの美術館を大改装すると聞いた時には、まず「改装する必要なんてないのに」って思いました。でも、空調設備はすでに老朽化していたし、美術館は以前よりも一般の人に開かれた場所になっているのに、ここは玄関が狭い。カフェやショップも必要だと感じました。それで、西側の玄関の下に新しい入口を作って、スロープで自然に下がっていって地下から入るようにすればいいんじゃないかと考えました。そこから真ん中のホールを通って東側まで抜けられるようにする。パラソフィアを見ていたおかげで、1日で案ができました。変えるべき内容を考えたら、それしかなかったから。

レイヤーを重ねるというリニューアル

原田 元の建築を最大限に生かすというコンセプトが京都の方々にも響いて、コンペを通ったんですね。変えよう、じゃなくて、変えたくなかったというのが、新鮮。でも、京都の方々ってコンサバな一方で、進取の気性にも富んでいます。

青木 自分ではかなり地味な提案をしたと思ったんだけど、地下正面の透明な「ガラス・リボン」部分は、斬新だと思ってもらえたようです。基本的には元の風景を変えず、古い時代に新しい時代のレイヤーを重ねるという考え方でした。京都の新しいものの取り入れ方は、古いものとのコントラストを成すものにするのではなく、レイヤーを重ねてゆく形に近いと思ったの。

原田 そして、岡崎というのもまた特殊な場所ですよね。

青木 平安時代は白河院の御所があり、明治維新で天皇が東京に移られて以降は、このあたりにあった藩主の屋敷はなくなり荒廃した。それを何とかしようと疏水を引いて水力発電を始めたり、第4回内国勧業博覧会を開催したりしてきた(1~3回は東京)。――というふうに、時代と共にどんどん新しいレイヤーが重ねられてきた場所なんですよね。

原田 私も、京都市美術館には個人的な思い出があるんです。1983年の自分の誕生日――

西宮の関西学院大学に通っていた21歳の時に、ピカソ生誕100年展を見に行ったんです。ピカソ展としては、当時、過去最大規模だったと記憶しています。10歳の時に倉敷の大原美術館でピカソを見て以来、へたくそな画家だと思っていたのが、京都で青の時代の《人生》を見て、天才だって気がついた。すごい衝撃を受けたんですよ。

青木 当時の空間も覚えてますか？

原田 はい。ただ、古めかしい入口のクラシカルな建物の中に、そんなモダンなものがあるとはまったく期待していませんでした。スタンダードにおもしろいもの、美しいものを見せてもらえる場所だと思っていたので。その後、道をはさんだ向かい側に槇文彦さん設計の京都国立近代美術館ができてからは、なんとなく新旧を対比して見ていました。

青木 京都の方々が八十数年間、この美術館をいろんな形で見てきた記憶って大事ですよね。僕は〝表現〟って嫌いなんですよ。だから自分のシグナチャーやスタイルを持ちたくない。今回の場合は特にそれを持たなくてもいい建物でした。この美術館が持つ潜在的な力があるから、僕がやったということは、作っている間に消えちゃってもいい。ただ老化が進んで使わなくなっているところをもう一度うまく気が通うようにつなぎさえすれば、再生できると思った。再生の手助けをすることがリニューアルの方法でした。

間取り図とガウディと建築写真

原田 ところで、青木さんは何がきっかけとなって建築家の道に進まれたんですか？　どんなお子さんだったんでしょう？

青木　絵を描くのが好きな子供でした。新聞の折り込み広告の建売住宅やアパートの間取り図が好きで、間取り図を見ながらそれがどんな部屋なのかを妄想してました。小学生の時はよく方眼紙に間取り図を描いて遊んでいたんです。

原田「マドリスト」だったんですね（笑）。その頃描かれた間取り図は残ってますか？

青木　1枚だけ残ってます。母親の誕生日に「いつかこんな家を作ってあげる」ってプレゼントしたんです。親としては、「なんだ間取り図か」ってがっかりしたかもしれませんけど、保存してくれていたということは、すこしは喜んでくれたのかな。描いたのは10歳頃ですかね。

中学2年生の頃には図書室でガウディ建築の写真を見て、衝撃を受けました。その頃、本屋さんで建築雑誌をめくっていて、すごくかっこいいざらざらの肌理のモノクロの建築写真を見つけたことがありました。父親に、誕生日のプレゼントにその雑誌がほしいと言ったら、僕が雑誌の名前を憶えていなかったこともあって、勘違いした父親が買ってきたのは不動産の売買情報が載っている住宅情報誌だった。

原田　お父さん、違いますって！（笑）おもしろいですね。間取り図、ガウディ、そして写真。建築そのものというよりも、建築の外堀から埋めていかれたような。

青木　妄想力が強かったんでしょうね。高校生の頃に考えていた将来やりたい三つの職業は、映画監督、小説家、建築家。妄想をフィルムに定着させれば映画になるし、文字で書けば小説になるし、物質を使えば建築になる。それと僕は高校の時はギターでロックをやっていて、大学に入ると、作曲をしようと思ってピアノを買ったんです。作曲の技法の本を買ってくればできると思っていた。ところが全然できなかったんで、すごくショックで、僕には作曲は無理だと悟りました。そうなると音楽を作る人ってすごいなって、尊敬の念が高まります。やろうと思ってできなかったものはみんな尊敬の対象です。自分では絵は上手だと思っていたけれど、いろんなアーティストと知り合うと、技術的にも、もののとらえ方も、全然かないません。けっきょく、向き不向きですよね。

原田　そうしたことが青木さんの美徳につながっているように思います。自分のクリエーションだけをエゴイスティックに追究したのではなく、自分にはできないことがあって、それができるプロに敬意を抱かれてきた。青木さんはご自身にはシグナチャーがないとおっしゃるけれど、そうしたご経験が、青木淳の美しい建築の中の一本筋の通ったコンセプトになっているのではないかと思います。

青木　小説を書けるのも、スゴイことだと思います。

原田　ありがとうございます。文章は誰でも書けると思うんですけど、難しいのは完結させること。自分で責任を持ってコンプリートする。それは建築家の場合、竣工して引き渡すということかと思いますけど。

青木　大きな違いは、文章は最初から最後まで自分だけでやる、ということかな。もちろん校正が入ったり編集の人に相談したりもするけど、ほとんど自分一人で書き上げるでしょう。建築の場合は、かかわる人がめちゃくちゃ多いから、どちらかというとコントロールしてゆく感じなの。抑制するのではなく、方向付けする。羅針盤があるわけではないから先は見えないし、できあがるまでわからないことだらけ。だから自力でコンプリートするというより「できちゃった」感じなんです。しかも竣工して終わりじゃなくて、そこからその建築が使われる時間は、作るまでにかかった時間の何十倍も続くわけだから、そのきっかけを作った、ぐらいの感覚なの。

原田　長い時間をかけて、使う人が生かしていく建築って、素敵ですね。

青木　とはいえ、人間って自分も含めて環境に縛られるものだから、既にできているものを壊すのはすごく大変です。固定観念でもなんでも、なかなか変えられないのが人間の性分。そういう意味では責任もあるわけ。そして変えてもらいやすいように作りたいとか、僕が思いもしない使い方を発見してほしいといった気持ちもあります。なるべくいろんな可能性がそこから広がる建築の方が、楽しいと思うのね。

新館長就任の経緯

原田　大型の美術館を手掛けられたのは青森県立美術館が最初ですか？

青木　その前に磯崎新さんの事務所にいた頃、水戸芸術館（１９９０年開館）の設計を担当しています。固定の壁と、取り外せるルーズな壁を混ぜて、動線を変えるだけでガラッと雰囲気の違う異空間を作りました。そういうのが美術の空間の面白さだと感じたんです。その直後に独立して、約10年経って青森県立美術館コンペに挑んだときは、アーティスト、あるいはキュレーターが取り組んでみたいと思えるような場所を作れたらいいな、と思ったのね。ただし個性のある空間を作りたいけど、それが僕の個性じゃ困る。それで隣にあった三内丸山遺跡のでこぼこした壕にならって、でこぼこした形をかみ合わせて作ったのが、青森県立美術館なんです。

原田　美術館はデスティネーションになり得るから、日本の地方都市を底上げしていく上で、優れた美術館建築は、すごく大切ですよね。

青木　青森県立美術館は使いやすくはないと思うけど、作ったときに「これはファミリーカーじゃなくてF1の車なんで、たいへんだけどうまく運転したらすごいスピードで走りますよ」ってキュレーターさんに言いました。

原田　その青森があって、今回の京都。しかもご自身が館長まで務められるなんて、ユニークですよね。

青木　設計は基本的にソフトがあってそれに合わせてハードを作る仕事だと思われがちなんだけれど、実際にはハードがあるからソフトが生まれる、という側面もあるんです。そうした僕の意識を、２０１５年から取り組んできた京都市美術館のリニューアル設計作業の中で、たぶん、京都市が評価してくれて、今度はソフト側からハードとかみ合うようなことを考えてくれ、というのが、館長就任のオファーだったんでしょうね。もちろん運営は僕の専門外ですから、お断りしたんですよ。でも、京都市としては、過去を否定するんじゃなくて、新しいレイヤーを重ねて全体を変えていくことをこの美術館でやりたい、と言われました。それはあなたの建築と同じ考え方なのでぜひ館長をやってほしいと。

　僕は先日63歳になったばかりなんだけど、60歳になる前から、還暦を迎えたら自分の事務所から「独立」して、一人でなにかこつこつやりたいと思っていたの。ところが実際に60歳になってみると、もともと設計図は手で描いていた世代だから、CAD（キャド）は使えないし、フォトショップでCGも作れないし、自分一人では何もできないことに気づいたんです。それでどうしようかなと思っていたら、藝大から建築科の教授をやってくれと言われ、次世代の教育に携わることはずっと断ってたんだけれど、還暦で生まれ変わったので引き受けた。さらに美術館の館長にもなってしまったんで、きっとこれから生活がガラッと変わって大変です。でも僕、ようやく3歳になったばかりなんで、これからだと思ってます。

原田 60歳でご自身もリニューアルされて、3年ですもんね。

青木 挑戦って、知らないことだらけで、おもしろいよね。これから何が起きるかわからないんで、ワクワクしています。

（2019年11月21日　東京・南青山の青木淳建築計画事務所にて）

【インタビューを終えて】

お母さんの誕生日に「夢の家の間取り図」を描いて贈ったというエピソードを語る青木さんは実に楽しげ。京都市美術館を「変えたくない」という思いから改築を引き受けたというのも新鮮だ。「63歳は3歳だ」と言い切る永遠の少年。今後館長としてどのように美術館を率いていくのか、しばらく目が離せない。

森佳子

もり・よしこ

森ビル取締役／森美術館理事長

1999年より英国ロンドンのロイヤル・アカデミー・オブ・アーツ　名誉トラスティー、2009年より小田原文化財団評議員、2014年より西洋美術振興財団評議員、2015年より石川文化振興財団評議員を務める。2013年にフランスのレジオン・ドヌール勲章シュヴァリエを受章。

原田　昨年は「塩田千春展」（２０１９年6月20日～10月27日）の入場者数が66万人以上！　その他にも、日本ではまだ紹介されていない海外のアーティストをいち早く取り上げるなど、森美術館の企画展は素晴らしく、いつも楽しみにしています。

森　現代美術でこれだけ人が集まるなんて、日本も本当に変わりましたね。当館の開館にあたっては、現代美術に的を絞ったことが、もっとも高いハードルだったんです。現代美術だけじゃ人は来ませんよと、いろいろな方にアドバイスをいただきましたけど、難しいと思われていた現代美術が、今やこれだけ多くの人に楽しんで迎えられています。

六本木という、東京の真ん中、多くの人が集まるところで、美術館自体が時代を感じながら世界各地のアートを紹介して、ファンを増やしてきたのだと自負しております。

森稔の六本木「文化都心」構想

原田　私が美術館設立準備室に在籍していた頃は正直、雲をつかむようなところもありました。でも、１９８０年代に六本木ヒルズのプロジェクトが始まった中で、「文化都心」を作ろうと美術館設立を決断された森稔（もりみのる）会長は、伝説的な方だったとあらためて思います。理事長も会長のそばで様々なことを体験されてきたと思いますが、未来の都市には文化が必要だと、会長がお考えになった背景というのは？

森　森稔にとってはまず、都市づくりが一番の関心ごとで、そのために世界中の都市を見て回りました。すると必ず都市の中心部には美術館があり、コンサートホールがあった。そういう状況を見て、文化の重要性を肌で感じていたのだと思います。パリにはルーヴルやポンピドゥー・センターが、ニューヨークにはメトロポリタン美術館やニューヨーク近代美術館が、ロンドンには大英博物館やテート・ギャラリーがあり、それぞれの都市の性格、アイデンティティを形成している。日本にも美術館や博物館は数多くありますが、鑑賞後に食事をしながら余韻を味わう場所など、都市生活の中で楽しむような環境は整ってはいなかった。そうしたことが考えられていなかったと思うのです。だからまず１９８６年にアークヒルズにサントリーホールを作り、音響も含めて最高のコンサートホールだと世界中から評価してもらった。その次の六本木ヒルズ計画では、美術館を、ということになったんです。

原田 '80～'90年代にも私立のおもしろい美術館はあったけれど、公立の美術館には箱もの行政的なところがありましたよね。空いている土地に箱を先に作る官主導のやり方では中身が追いつかなくて、味気ないものになってしまう。長期的展望に立って、未来の日本の都市がどうあるべきかを考え、実現されたのが森会長でした。

森 もしかしたらスタートが早すぎたかもしれません。でも大切なのは、できあがったものをどう育てていくかです。文化が生活の中に入っていかなければ意味がない。日常的に文化に触れて、楽しむにはどうしたらいいかということを、森は常に考えていました。

日本の価値を高める美術館

原田 私は拙著の『美しき愚かものたちのタブロー』で松方幸次郎（国立西洋美術館の核となっ

たコレクションを形成した実業家）について書きましたが、松方は、自分はアートのことはわからないと言いながらも、アートには人を巻き込んで変えていくポテンシャルがある、ということには気づいていた。ビジネスマンならではの視点だと思います。実は小説を書きながら、松方幸次郎と森稔が私の中ではダブっていました。

森　松方さんとは比べものになりませんけれど、森は人と違うこと、時代を先取りしたことをやりたいと言っていました。53階建のビルの最上層に現代美術館を作る、その初代館長は外国人、という例は他にありません。現代美術をビジネスにしてみせると言い、先駆的なことが好きで、自分でひっぱっていこうという気迫がすごかったですね。でも、原田さんがお気づきだったかわかりませんが、一緒に海外の美術館を見て回ると、森は作品のことよりむしろ、天井高がどうだとか、建材がどうだなんてことをよく言っていましたから、美術愛好家とはまた違う視点を持っていたのかなと思います。

原田　アートは展示される空間がとても重要ですから。それと、アートの世界には独特のコミュニティがあって、ノーブレス・オブリージュじゃないけど、世界のトップ・ビジネスパーソンや富裕層がアートをコレクションすることでアーティストを助けるだとか、美術館を作ることで——松方がそうでしたけど——一般の方々にアートを楽しんでもらうといったことをやっていらっしゃる。そういうコミュニティに入って得られたことも多かったのではありませんか？

森　世界レベルのものを作りたいという思いはたいへん強くて、グローバル・スタンダードにはこだわっていましたね。開館当初からバイリンガルで対応できるようにしていました。また、港区には各国の大使館が80以上もありますが、大使の方々はそれぞれのお国のVIPが来日する際によく森美術館をご案内先としてくださいます。日本の最先端の文化を見せたい、と思われて。そういう評価はたいへん嬉しいです。お金に換算はできないけれど、日本のブランド価値を高めるのは、美術館などの文化を持っているということですよね。先日、ある会合でアーティストの李禹煥（リ・ウーファン）さんに「いま世界で顔が見えているのは森美術館だけですよ」と言われて、とても嬉しかったです。李さんは辛口で知られている方だから、余計（笑）。

原田　日常的な楽しみの中に美術館が入っていく間口を広げたという意味で、森美術館の役割は、とても大きかったと思います。

森　今後はこれをどうサステナブルにしていくのかが課題だと思っています。これまで50を超える展覧会を企画開催してきましたが、現代美術館としては、時代を的確にとらえることが重要だと思っています。「アラブ・エクスプレス展」（２０１２年）の前年にアラブの春が起こり、出展が決まっていたあるエジプト人の作家は、参加したデモで命を落としました。彼の作品は予定通り展示しましたが、現代美術を扱うというのはこういうことなのだ、と実感しました。「会田誠展」（２０１２〜１３年）の際には、一部の展示に関して抗議文をいただいたりもしましたが、美術館としては、真摯に対応できたと思います。アーティストはその作品を作るにあたって覚悟と意図があってやっているわけで、そうしたアーティストを支えたいといつも思っています。

鑑賞者を育む

森　昨年の「塩田千春展」では、インスタレーションだけでなく、アーカイヴ的な展示に鑑賞者がかなり滞留していました。壮大な作品を体験するだけでなく、アーティストがなぜこういう作品を作ったのか、制作過程にも興味が向かっている。鑑賞者も成長していることを感じました。

原田　作品自体に力があることは大前提ですが、作品が制作されるプロセスにこそドラマがあるということにはみんな気が付いているし、そこに共感を覚えるんですよね。先日、ルーヴル美術館のレオナルド・ダ・ヴィンチ展でレオナルドの手稿を見たときに、ああ彼も人間だったんだと強く思いました。完成した作品はあまりに人智を超えていて、人間っぽくないような気がしていたのですが、いろいろなことに興味を持ってたくさんメモを取っていて、かわいい人だったんだなぁ、って。

森　ただし、そういう見方ができるようになるには、ある程度の数の展覧会や作品を見なければならないと思うんです。だからこそ、いい展覧会を作ってたくさんの方に見ていただきたい。「村上隆の五百羅漢図展」（２０１５～１６年）でも、制作のための資料や下図、スケッチなどアーカイヴを展示しました。《五百羅漢図》は、村上さんが東日本大震災の際いち早く支援をしてくれたカタールのために描いたもので、カタールに輸送される前日に、私は当時の南條史生（ふみお）館長と一緒に、埼玉の村上さんのスタジオへ見に行きました。その時、村上さんが「これは日本には二度と戻らない」と仰ったのを聞いて、なんとかして日本で見せたいとの思いを強くしました。４部作のうちの一部が未完成だったことでチャンスが巡り、あの大展覧会が実現しました。

塩田展については、塩田さんはヨーロッパでは知られているけれど、アジアではまだで、作家自身ももっとアジアで作品を見せたい、という意思がありました。そこで、森美術館の後は韓国、オーストラリア、インドネシア、台湾と、アジア太平洋地域に巡回することになりました。この次はアメリカを攻めましょうとか、アーティストと一緒に戦略を立てたりするのは、大変なことではあるけれど楽しいですね。

原田　３年後には20周年を迎えますね。

森　開館して最初の展覧会が「ハピネス」展（２００３～０４年）で、10周年が「ＬＯＶＥ展」（２０１３年）だったから、次は……まだ具体的にはお話しできませんが、以前は欧米が主流だった現代美術も今ではアジアが非常に注目されていますから、アジアに根付いた発信力のあるものができればと思っています。シンガポールにも香港にも大型美術館ができて、アジアの美術館はパワフルになっていきます。それぞれの美術館がどうプレゼンスを高めるか、やはり展覧会の内容で勝負していくことになるでしょう。今、世界中にアートフェアやビエンナーレは２５０ぐらいあると言われていますから、全体を把握するのは難しいのですが、できるだけ足を運びたいと思っています。

原田　理事長のフットワークの軽さにはいつも驚かされます。アートはやはり実物を見ることが大切ですよね。インターネットを通して知ったつもりになるのではなくて。空間全体にどういう磁場を作るかが現代美術の面白いところだし、キュレーションの妙味が味わえるのは現場ならではですね。

（2020年2月4日　六本木・森美術館内応接室にて）

【インタビューを終えて】

オフィスタワーの最上層に美術館を創りたい。森稔氏の驚愕のアイデアを聞かされ、森美術館の開設に関わった者として、現在の発展を嬉しく思う。現代美術館開設にビジネスリスクがなかったとは言えない。が、稔氏とともに、佳子理事長はアートの支援者として同館の発展に寄与した。今やアート界のミューズとなった彼女が現れれば場が華やぐ。信念を持ち、あくまでもエレガントに。これからも彼女の活躍に世界が注目し続けるだろう。

安藤忠雄

あんどう・ただお

建築家

1941年、大阪生まれ。独学で建築を学び、1969年、安藤忠雄建築研究所を設立。1979年、「住吉の長屋」で日本建築学会賞（作品）を受賞。1995年、プリツカー賞を受賞。1997年、東京大学教授に就任し、現在は特別栄誉教授。2010年に文化勲章、2021年にフランスのレジオン・ドヌール勲章コマンドゥールなど受章（賞）多数。代表作に「光の教会」、「地中美術館」、「こども本の森 中之島」、「ブルス・ドゥ・コメルス／ピノー・コレクション」など。

原田　コロナの感染拡大防止のため延期になっていた「こども本の森 中之島」の開館、おめでとうございます。

安藤　ありがとうございます。まだ入場制限をかけながら、恐る恐るのスタートではありますが……。それにしても原田さんは相当のペースで本を書かれていますね。取材や資料集めも大変な労力かと思いますが、それを毎回きっちりと一つの物語にまとめるわけですから、作家さんはすごいです。我々設計者は、その辺り結構いい加減な部分もあるのですが。

原田　そんな……それでは建物が倒れちゃいます（笑）。

安藤　もちろん、機能的、技術的にはしっかりやるのですが（笑）、そういった実利的なものを超えた、一篇の物語に匹敵するような奥ゆき、深さを実現できているのだろうか、と。実はここに来る前に夏目漱石の『坊っちゃん』を読み返していたんです。軽快な語り口のもとに、歴史も、時代の風景も、人間の情愛も詰まっていて、それらが見事に折り重なり、構成されている。そこにいつまでも色褪せない感動があるから、100年を経た今も読み継がれているんですよね。そんな、人の心にずっと残るような建築ができればと思います。本を読んで刺激を受けることはよくありますよ。生きていくのに必要な、知的体力を養っている感覚かな。でも、近頃の若い人はスマートフォンを触るばかりで、新聞も本も手に取らないでしょう。「デジタルで読める」と言うけれど、それで本当に心に残る読書体験ができるのかなあ。この傾向に、コロナ禍がさらに拍車をかけました。大学の授業がリモートになるのは仕方がないし、デジタルゆえのメリットがあることもわかるのですが、大学は一生の友達と出会えるところですから、生身の対話・交流がなくていいわけがない。本のデジタル化の話も同様で、心の成長のためには、手に取って本を読んだり、美術館で美術品を見たりするのが、大切ですよね。グーグルは確かに便利だけれど、それだけでは文化は育たないんじゃないかな。
「本の森」は、本の力で、自分でものごとを考える子供を育てよう、それを官民一体となって、皆で実現しようと始めたプロジェクトです。大阪の知事・市長も賛同してくれて、建設地にこの場所を選んでくれました。建設費は発案者である私が出そうということになったわけですが、重要なのはつくった後の運営資金です。一人で出せるわけもないので、蔵書の準備を含めて広く賛同者に寄付を募り、大阪ガスや関西電力、阪急電鉄といった企業にもお願いして、最終的には5年間分の予算として約10億円集めることができました。

原田　みなさん安藤さんの想いに共感を覚えられたのでしょう。

福武總一郎さんと直島プロジェクト

原田　私には忘れられない思い出がひとつあります。25年ぐらい前、安藤さんが手掛けられた、直島のホテルと一体型の美術館ができてしばらくした頃、森美術館設立準備室でキュレーターをやっていた私は、森稔（みのる）さん（森美術館創立者）と奥さまの佳子さんを直島にお連れしたんです。高松からボートをチャーターして島へ向かって、「社長、あれが直島です」とご説明さしあげて港を見たら、遠くからずっと手を振っている方がいらした。それが安藤さんでした。安藤さんのホスピタリティに、森さん、ズキュンと胸を射抜かれていました。

安藤　森夫妻の直島訪問は記憶にありますが、そんなこと、あったかなあ（笑）。30年前には瀬戸内の過疎の島のひとつにすぎなかった直島を、圧倒的な構想力と行動力で、今のようなアートの島に育て上げたのは福武總一郎さん（ベネッセホールディングス名誉顧問）です。いつも世界に類のないものを作りたいと言われていて、たとえば地中美術館のモネの「睡蓮」の常設展示室では、パリのオランジュリー美術館を意識しつつ、完全に自然光だけの鑑賞空間を実現しました。冬だと午後4時にはもう暗くなってしまいますが、画家がアトリエで描いていた状態なのだからそれでいいと。

原田　同じく地中美術館のジェームズ・タレルの常設展示室には、ナイトプログラムがありますよね。

安藤　森さんも佳子夫人に引っ張られて、参加されていましたね。最初は半信半疑の様子でしたが、1時間近く吹きさらしの場所でタレルの〝光〟を見つめ続けて、最後は満足気な表情だった。夜風にさらされて、あの光は何なのか、俺は今なんでこんなことをしているのかと考えるうちに、心にじわじわとしみいるものがあったのでしょう。アートってそういうものですよね。

突き抜けた感性のクライアント

安藤　森さんに依頼された仕事では、2006年2月にオープンした表参道ヒルズがありますが、完成の1年半前に、いきなり、建物の前に水を流そうと言われたんですよ。「参道だから、お清めの意味で流す」というところまではわかるのですが、建物の前だけでなく車道を挟んだ向かい側にも流したい、と。「他人の土地ですから無理です」と言うと、「そんなことでは街は作れない！」と言われました（笑）。福武さんも森さんも、芸術家肌で、発想のスケールがとにかく壮大でした。森さんにはよく「条件は気にせず、夢を描くことからスタートすべきだ。既成の枠組みを乗り越えた先に、新しい都市があるんだ」と叱咤激励されたものです。本当におもしろい人だった。その分、周りは振り回されて大変だったと思いますが（笑）。

原田　なんだか今、森さんの思い出が蘇ってきました（笑）。

安藤　森さんにしろ福武さんにしろ、長く続くのは、こうした突き抜けた感性のクライアントとの仕事なんです。企業人に限らず、アーティストでもデザイナーでも、とにかく私の仕事相手はいわゆる「変わった人」が多い。例えば三宅一生さんは、高い美意識を一切の妥協なく追いかけ続けておられる。六本木の21_21 DESIGN SIGHTでは、建設現場もすごい緊張感で、おかげさまで素晴らしいクオリティに仕上がりました。ともかく個性的に過ぎる方ばかりですが、だからといって揉めたり感情的なトラブルが起きたりということはないです。根っこの部分では共感するところがあるから頼んでくれているわけだし、私もマイペースで、誰が相手でもスタイルを変えないので、互いに本音でぶつかって、最後は任せてくれる。おもしろい仕事の機会をくれるクライアントにはいつも感謝しています。建築家は自己顕示欲が強いと思われがちですが、私は「仕事はクライアントとの共同作業」という感覚です。そのわりに、なぜか、安藤は人の言うことを聞かないという評判で、あちこちで嫌がられていますが（笑）。

100歳時代を生きる

安藤 今、日本は100歳まで生きる時代でしょう。特に女性は長生きで奇麗。それに比べて男性シニア世代は悲惨です。現役時代、家庭も顧みず、趣味に興じることもなく仕事だけしていたツケでしょうか。身体は元気でも、どこか退屈で寂しそうなんですね。やっぱり若い時から本を読んだり、絵を描いたり、音楽を聴いたりといった寄り道の時間が、人生には必要なんじゃないかな。

原田 そうした活動には、生活に潤いを与え、活性化させる潤滑油みたいな効果がありますよね。

安藤 すぐに効果は見えないけれど、実は一番効くんですよね。何を選ぶかは人それぞれでいいと思うんです。京都大学の総長・山極壽一（やまぎわじゅいち）先生なんかは、ゴリラの研究者ですから、どんなに仕事で苦しいことがあっても、フィールドワークで生身のゴリラに触れると、すっと心が晴れるそうです。モネの絵を見て「いいな」と心が開かれてゆくのと同じですよね。100歳までの人生を全うするには、身体的体力だけでなく、知的体力も必要です。そのためにも10代〜20代のうちに、芸術にも触れてその素地を養っておきたい。だからパブリックの図書館や美術館といった場所が街には必要なんです。

原田 図書館や美術館は新聞や辞書みたいなもので、ひとつの項目を追いかけている時に、周囲の、自分に関係ないと思っていたことにも偶然出会えますよね。リモートだとピンポイントなので、必要なことだけしか見なくなってしまう。大学に通う間には誰かに一目惚れすることもあるかもしれないし、街に立ち寄って買い物するかもしれないし、アートを見るかもしれない。移動することによって、目的としていたものとは違うものを見つける。そうした余白の部分はとても重要ですね。

内臓はなくても

安藤　実は2009年と2014年に大きな手術をしているんです。胆嚢と胆管と十二指腸潰瘍と脾臓……あと膵臓の真ん中に癌が見つかって、全部取った。医者には「今まで膵臓の全摘をして完全に回復できた人はいない」と厳しいことを言われました。が、なぜか今は元気です(笑)。仕事も生活も相変わらずマイペースを貫いているのがいいのかな。それから、病気をしていいこともあってね。今、中国での大きな仕事はコンペで設計者が選ばれることが多いのですが、ここ数年は結構な勝率なんですよ。クライアントが、内臓が5つもないのに元気な安藤さんを選んだ方が縁起がいいと言うんです。設計案以前の、縁起のよさ。これでは、ほかの人は勝ち目がないでしょう(笑)。

原田　すごい。ご自分の身体で捨て身のネタ(笑)。

安藤　いや、それくらいでないと厳しい世の中、やっていけませんから(笑)。最近の日本人にはそういう覚悟のある人が減ってきていますよね。その点、ヨーロッパはまだまだ迫力がありますよ。来年の5月、開館を延期していたパリの現代美術館ブルス・ドゥ・コメルスがやっとオープンします。ルーヴル美術館近くに建つ、16世紀に起源を持つ旧穀物取引所を改修した美術館です。クライアントのフランソワ・ピノー氏は、フランスきっての大実業家なのですが、彼は自分が生涯をかけて築いた財産の全てを賭けるぐらいの意気込みで、このプロジェクトを実現させました。現代アートの感動を万人と分かちあうための聖地を作りたい、と。確かな公共精神に裏付けられた信念をお持ちなのです。実際、昨年4月にノートルダム寺院の尖塔が焼失した時も、すぐにピノーさんが125億円寄付しました。その後も別の富豪が250億円、さらにまた別の人が250億円と続いた。フランス人には、文化を重要視し、後世に護り伝えていく責任という感覚が、当たり前にあるんですね。それがあの古くて新しい文化都市を支えている。その点、日本は戦後、経済大国と呼ばれるまでに復興しましたが、心が追いついていなかったから、あまり多くを残せなかった。スクラップ・アンド・ビルドでは文化は根づきません。

建築を残す、本に触れる

原田　ところで安藤さんはこれまで50年ぐらい建築のお仕事をされてきて、世界的視野に立った時に、建築の役割とは何だと思われますか？

安藤　建てられた目的、機能を超えて、人々の心に残る風景を作っていくことかな。そうして都市の記憶を刻んでいく。だからこそ、旧くなったら壊すというのではなく、残す努力をしたい。中之島に、中央公会堂があるでしょう。百年以上前、岩本栄之助という実業家の寄付で建てられたのですが、彼は株で失敗してしまった。そこで大阪市がお金を返そうとしたのを、断り、公会堂の完成前に自殺したんです。そんな物語と共に、この建物は大阪人の誇りとしてずっと生き続けてきました。数十年前にこれを建て直そうという動きもあったのですが、皆で猛反対して止めました。つくづく残せてよかったと思います。「本の森」に来て中之島通の奥に立つ建物を見るたび、そう思いますよ。

原田　さらに安藤さんが本や読書が大切だという想いに至るまでには、どういう経緯があったのですか？

安藤　私は下町生まれで、本だとか音楽だとか文化的なものが身近になかったんです。本を手に取るようになったのは、高校卒業後、独学で建築の勉強を始めてから。最初は不慣れな読書が苦痛だったのですが、そのうちに、読書もまた自分の世界を広げてくれる心の旅なのだと気づいたんですね。すると、夏目漱石や正岡子規などを読んで心を動かされるたび、10代で読んでおけばよかった、しまった！となるわけです。自分自身のそんな後悔の気持ちが、「本の森」を思い立った原点なのかもしれません。

　ここには買った本もたくさんありますが、実は名誉館長を務めている山中伸弥さんはじめ多くの文化人から、彼らが子供の頃に読んだ本を寄付していただいているんです。日本の知性を担う先生方のルーツを垣間見るようでおもしろい。そのコーナーが「本の森」の見どころのひとつです。

原田　メディアとしての本の形や重量は大切ですね。たとえば、山中先生が子供の頃に読んだ本ですよって、電子ファイルでぴゅっと送られても、ありがたみがありません。山中先生の部屋にあった、手垢がついた本だからこそ、嬉しいんですよね。

（２０２０年7月14日　大阪・こども本の森 中之島にて）

【インタビューを終えて】

安藤忠雄は「世界のＡＮＤＯ」、日本が世界に誇る特別な固有名詞である。そのＡＮＤＯが待ち合わせの場所にひょいと現れた。その軽やかさに驚かされ、軽妙洒脱な話の面白さにぐいぐいと引き込まれ、あっという間に時間が過ぎてしまった。安藤建築特有の洒脱さと空間への研ぎ澄まされたコミットメントは、安藤さんそのものなのである。自由闊達、悠々自適、そして茶目っ気たっぷり。我らがＡＮＤＯをますます世界に誇りたくなる出会いであった。

原俊夫

はら・としお

アルカンシエール美術財団理事長

1935年、東京生まれ。1958年、学習院大学を卒業後、日本航空に就職。2ヶ月後に米プリンストン大学に留学。1977年、アルカンシエール美術財団を設立し、理事長に就任。1979年、東京・御殿山の祖父の私邸だった建物を改装し、原美術館を設立・開館。1988年、群馬県渋川市にハラ ミュージアム アークを設立。2017年、フランスのレジオン・ドヌール勲章オフィシエ受章。2021年に東京での活動を終え、両館を統合、ハラ ミュージアム アークを「原美術館ARC」と改称し群馬にて活動中。

原田　今日はまず、原理事長に御礼を申しあげたいです。原美術館が開館した1979年、私は高校2年生でした。その後、西宮の関西学院大学に進学したのですが、東京の実家に帰省した際に原美術館を知って、こんなすごい美術館ができたのか、と衝撃を受けました。アルバイトで貯めたお金で原美術館と西武美術館の学生会員になって、通いました。どちらも、青春時代の私に大きな影響を与え、今の私を作ってくれた美術館です。本当にありがとうございます。ぜひ理事長の、アートに対する思いや哲学を聞かせてください。

原　難しい話は苦手だけれど、訊いてくだされればなんでもお答えしますよ。好きなことを愉しんできただけなのですが。

原田　当時はまだそれほど市民権を得ていなかった現代美術専門の美術館を設立されたのには、なにかきっかけがあったのですか？

原　子供の頃から日本の外に出たいと思って、アメリカの大学に行き、その後も世界中いろいろ旅をしました。海外で日本の文化が紹介される時はいつも古美術など伝統的なものばかりで、現代の日本の文化が紹介されていないことに気づきました。そもそも日本に現代美術を常設で紹介しているところがなかった。それで無謀にも、40歳にして、ないなら私が作ろう、と思ったのです。

当初は、ブリヂストン美術館（現・アーティゾン美術館）やサントリー美術館のように、都心のアクセスのいいビルの中に美術館を作れないかと考えていたのですが、デンマークのルイジアナ現代美術館を見たことが、大きな転機になりました。クヌドゥ・W・ヤンセンというオーナーの自宅を改修して1958年に設立された美術館ですが、これを見て、祖父の私邸だった建物を美術館にしたらうまくいくかもしれない、と思ったんです。

アメリカでの青春時代

原田 アメリカのプリンストン大学ではアートを勉強されたのですか？

原 いえ、経済学です。家業の林業に関わる会社を継いだ後は、現場で経営を学びました。私の先祖で一番すごい経営者だったのは、曾祖父の原六郎です。彼は明治4年（1871）にアメリカのイェール大学に行き、さらにロンドンで経済学を学び、日本に戻ってから外国為替の銀行を作りました。教育事業にも携わり、ホテルやデパート、さらに電気やガスや鉄道、といったインフラの近代化を進めるために奮闘した人物です。私が生まれた時にはもう亡くなっていましたけれど。

原田 原六郎さんは古美術の蒐集もなさっていましたよね。いまは群馬のハラ ミュージアム アークでそれらが見られる。そうした環境の下で、少年時代からアートに対する関心は高かったのでしょうか？

原 いいえ、実は全然です。少年時代はひたすら外国へ行きたいと思っていました。戦後、祖父の家だったこの建物が進駐軍に接収され、アメリカ軍の将校が2階に泊まっていたのですが、私は彼らに英語を習って……というよりも、一緒にしゃべったり、甘いものを楽しんだりしたんです。将校の紹介もあってプリンストン大学へ行きました。プリンストンは私の青春そのものので、語り始めたら1時間はかかるからやめておきます（笑）。全寮制で、寮は石造りの立派な建物でした。寮の仲間たちと飲んだバーボンウイスキーの水割りが、本当に美味しかったなぁ。修了したのが1960年です。

原田　その少し前、1950年代のアメリカは抽象表現主義の全盛期で、ジャクソン・ポロックが活躍した。いちばんおもしろい時代ですよね。

原　後からわかったんですが、画家のフランク・ステラが同級生です。

原田　アートの世界からすごい知性がどんどん輩出し、アメリカがヨーロッパからセンターを奪った。

原　残念ながら、私はそこには全然かかわっていなかったですね。

クヌドゥ・ヤンセンの教え

原　私が現代美術に興味を持ったきっかけは、もともとはコレクターへの関心なんです。アカデミックなことや知名度で作家を選ぶのではなく、自分の好き嫌いで作品を選ぶコレクターというものに魅かれました。

原田　感性と直感。コレクションには個性が反映されますよね。

原　肩書で人を判断するのとは別の世界が、おもしろいと思ったんです。先ほどお話ししたクヌドゥ・ヤンセンにしても、アポも取らずに、会いたいと言ったその日に、会ってくれました。日本から来た誰ともわからないやつがいきなり会いたいと言ってくるなんて、何かあるなと、ピンときたのかもしれません。

二つ、重要なことを教えてもらいました。まず、美術館の顔になるのはコレクションだから、それは自分で選べ、と。そして、世間に認知されるまで20年はかかるからその間は辛抱しろ、と。

原田　ところが原美術館は10年でもう有名になっていましたね。こういう場所でご自身のコレクションを見せようと考えるには勇気がいるし、覚悟も必要だったと思います。まず自分が楽しくなければだめだと考えるのは素敵なことだし、それがひいては社会のためになり、若い人たちへ影響を及ぼす。ハラ ミュージアム アークの特別展示室「観海庵（かんかいあん）」では、古美術と現代美術が一緒に展示されていますが、こうして過去と現在、また未来につながっていくものをあわせて見せるのは、ある程度時間が経過した中でしか許されないことですよね。

原　ただ好きなだけじゃなくて、誰もやっていない冒険を試みたいという気持ちもありました。

原田　では、どなたかが既にやられていたら、こういう美術館を作ることはなかったですか？

原　やらなかったですね。

アーティストたちとの出会い

原田　最初にご購入された作品は何でしょう？

原　よく訊かれるんですけど、いまひとつはっきりしないんですよ。最初の頃はだいたい作家を訪ねていって、作家から直接買いました。

原田　繰り返し会って作品を買うような方はいらっしゃったんでしょうか？

原　購入までに会うのはだいたい1回きりですね。李禹煥（リ・ウーファン）さんに作品を見たいとお願いした時は、李さんの家に食事に呼んでいただき、リビングルームに掛かっていた《線より》《点より》をお譲りいただいたんだけれど、まだ美術館をつくる前だったから、「原美術館の原です」と言うわけにもいかず、無理してキャデラックをレンタルして自分で運転して行きました。先日、久しぶりに李さんと李さんのお嬢さんにお会いしたら、あれ以降、李家では私のことを「キャデラックのおじさん」と呼んでいたとか。

　それから、工藤哲巳さんは、パリに行かれた時にご自身のいちばん大切な作品をわざわざ日本から持っていってリビングルームの壁に掛けてらしたんですが、私がパリでそれを買いたいと言ったら、これだけは勘弁してくれといったんは断られました。ところが翌朝、ホテルに工藤さんから電話がかかってきて、一晩よくよく考えたんだけれど、やはりあれを買っていただきたい、と言ってくださった。それで今、うちには工藤さんの名品があるんです。

　台湾のギャラリーにひとりで行った時に、おもしろいと思って買った作品は、ニューヨーク在住の中国人作家のものだと聞きました。それからしばらくして、ニューヨーク近代美術館（MoMA）のインターナショナル・カウンシルのツアーで北京のアイ・ウェイウェイさんのスタジオを訪れたら、「あなたがトシオ・ハラですか？　僕の作品を最初に買ってくれた美術館の！」と、とても喜んでくれた。アーティスト本人に会って買う場合もあったけれど、こんなふうに出会いがしらに、作品そのものがいいと思って買うこともあります。

原田　優れたコレクターの方は不思議な視野を持っていらっしゃいますよね。私は小説を書く上で、様々な歴史的コレクターについて調べることがあるのですが、選んだ作品も、タイミングも、すごい。

原　アーティストのリビングルームに飾ってあるものは、たいていいいものです。本人が大切にしているものだから。売りに出ているものは、アーティストにとっては、持っていてもしょうがないものじゃないですか（笑）。

原田　それはアーティスト泣かせな買い方ですね。

原　アートフェアで知らないアーティストの作品を買うこともありますよ。ギャラリーの人に「原さん、今回はどの作品が目的でいらしたんですか？」って聞かれて、目の前にあるピンときたのを「これを買うために来たんだ」と言ったことがありました。ミカリーン・トーマスの作品だったんだけれど、その数分後にＭｏＭＡの人が同じ作品を買いたいと言ってきたそうで、これは既にトシオに売約済みだと聞いて、「トシオじゃしょうがないか。だったらこれよりもっと大きい作品をコミッションで作ってもらおう」となったそうです。アーティストが有名であるとか、ギャラリーが高い値段をつけたとかいうことは、私にとっては関係ありません。

原美術館というマイルストーン

原　収蔵品の現代美術は1点たりとも売ったことがありません。自分が選んだものを売れば、自分の感性を信じていないということになりますから。

原田　開館された時、世の中に受け入れられるだろうか、というようなことはお考えになりましたか？

原　いっさい考えてなかったです。誰も来なくてもいいと思ってた。最初、同級生からは「ゴミばかり集めてる」と言われたし。でも、現代美術をとおして、国際交流をしたいという思いはあって、財団法人を作りました。美術館はメディアなので、作家をサポートしたり、コレクターとの出会いを作ったりする場となります。たとえば1996年の倉俣史朗の展覧会も、誰もやらないならうちでやろうと開催し、世界巡回させました。あまり意識はしていなかったけれど、現代美術館を開くことが、結果的には社会への貢献につながりました。

原美術館は、もともとは1階しかオープンしていなかったんですけど、2階も整備してオープンした時に、ビデオアートを常設で紹介しようと決めて、かなり早くから映像作品を扱っていたし、音楽も美術の一形態として扱っていました。考えてみれば、素人だったからこそ、新しいことに取り組むことができたのかもしれません。

原田　多くのアーティストにとって、原美術館で展覧会をすることが今やひとつの憧れ、マイルストーンになっています。

原　開館翌年から、ハラ アニュアルという若い作家を紹介する企画展を始めました。第一回から、参加作家は推薦委員の先生たちに相談はしても、決めるのは美術館であり、最後に決定するのは館長であるという方針です。

第一回は磯崎新さんの推薦で、まだ大学院生だった川俣正さんも出品していました。公募展はいろいろなところで開催されていましたけど、美術館がフィルターとなって選び、作家の活動を紹介する展覧会はほとんどありませんでした。

原田　昨年、加藤泉さんの原美術館、ハラ ミュージアム アークでの両館同時期開催展の際に、

ハラ ミュージアム アークで加藤さんとトークをさせていただいたのですが、2007年のヴェネチア・ビエンナーレに加藤さんを招聘したMoMAのキュレーター、ロバート・ストーに旅費を出して、日本のアーティストを紹介したのは原さんだったのですね。しびれるお話でした。

原 ストーが日本のアーティストをリサーチするのに、時間もお金もないって言うから、3日間、日本に来られるならお金を出すし、アーティストを紹介するよ、と言ったんです。

原田 ストーが日本のアーティストを見出すきっかけを理事長が作られ、加藤さんが国際的に注目されはじめ、今度は原美術館で個展をやった。ちゃんとひとつの環を閉じられたという感じがしました。もちろん最初はご自身がお好きで集められたのだとは思いますけど、そのおかげで、世界的視野で見ても、日本のアートが豊かになりました。最後にうかがいたいのですが、理事長の夢は何ですか?

原 もう、夢の大部分は見てしまいましたね。

原田 夢を実現して、夢の中に生きていらっしゃる。たいへんお幸せなことですね。今日はその幸福感を分けていただいたような気がします。日本の宝のような美術館を私たちに与えてくださり、あらためて、本当にありがとうございます。

(2020年7月27日 東京・原美術館にて)

原俊夫

【インタビューを終えて】

原美術館へは何度行っても初めて訪問した時の胸の高鳴りが蘇る。私が現代美術に目覚めたのは40年前のことで、その頃、都内で現代美術に特化した美術館は原美術館以外になかった。これほどまでにユニークで創意工夫に満ちた美術館を創った人、原俊夫さんに憧れを募らせたものだ。日本に現代美術の種をまき、大きく花開かせた立役者は、矜持を持ってアートを語り、アートとともに生きた。それは今もこれからも変わらないだろう。

圀府寺司

こうでら・つかさ

大阪大学大学院文学研究科・文学部教授

1957年、大阪生まれ。1981年、大阪大学を卒業後アムステルダム大学に留学し、博士号を取得。1988年、広島大学講師となる。1997年、大阪大学助教授、2001年、同大学の教授に就任。2004〜05年、ワルシャワのユダヤ歴史研究所で研究員を務める。2020年、翻訳と解説を手がけた『ファン・ゴッホの手紙 Ⅰ・Ⅱ』が刊行。

原田　10月に刊行された『ファン・ゴッホの手紙　Ⅰ・Ⅱ』。翻訳をされた圀府寺先生は、ファン・ゴッホ研究の第一人者ですが、本のお話の前に、先生がファン・ゴッホの研究をするようになった経緯から教えてください。かなり時間は飛びますが、まずは、どのようなお子さんだったのでしょう？

圀府寺　大阪の外れの池田市というところで育ったのですが、特に美術と縁があったわけではありません。ただ絵を描くのは好きでした。父親が新聞社で働いていたので、印刷されていない新聞用の紙を家に持って帰ってきて、それを思う存分使っていいよ、と言われて。親が留守にしている間はずっと絵を描いていて、戻ってくると自分の絵の説明をしましたね。これはこういう戦争で、ここに戦車がやってきて、バンバンと大砲を撃って……とか。それを母親が根気よく聞いてくれたのを覚えています。

野球部と美術研究所

圀府寺　自分で描いた絵を解説していたのは、あとで考えてみると、今の仕事と多少関係あるかな。でも、外で遊ぶのも好きで、野球ばかりやってました。中学校も高校も野球部です。高校1年生の時だったか、高階秀爾先生の『名画を見る眼』を読んで、美術史家という仕事を知って、これで飯を食っていこうって、その時点で職業はほぼ決まりました。野球部の合宿で寝っ転がって画集を見ていたら、他の部員たちから気持ち悪がられました（笑）。実はあとでわかったのですが、佐伯祐三が同じ高校の野球部の先輩だったので、私の前にも画集を見ていた部員が少なくとも一人はいたはずです。展覧会に行ったことはほとんどなかったです。記憶があるのは、親がどこかでチケットをもらったとかで、京都市美術館だったかな、ツタンカーメン展。人が多くて、肩車されて、遠くの方に展示品が見えたのを覚えています。美術館巡りを始めたのは大学に入ってからです。

原田　美術史家の他になりたい仕事はなかったんですか？

囲府寺　小学校の時の文集には「技師」と書いてあります。白衣を着る理系の職業のイメージですね。コツコツ積み上げていくような。絵も、わりと細密なものを、何ヶ月もかけて描いていました。大阪大学へ行くことに決めたのは、たまたま私が入学するちょっと前に美学科ができたからです。入ってみると、とてもリベラルな感じでした。実際に居心地がよくて。ただ、作品や文献、資料の乏しい日本にいてもしょうがない、早くパリにでも留学しなきゃと考えていました。

原田　なぜパリ？

囲府寺　近代美術の研究はパリ、というイメージがあったんです。でも、大学1年生の頃、研究者じゃなくて画家になろうかと迷った時期もあって、独学でデッサンを始め、美大の願書を取り寄せたりもしました。某美術研究所に登録してお金を払ったその日に、「デッサン室で石膏デッサンから始めて下さい」と言われて、たまたまタイミングが一緒だった他の男の子と二人で部屋を覗いてみたら、もうイーゼルがビシッと隙間なく置いてあって、入りこむ余地がなかった。トイレに行って、「違う。ここは自分のいる場所じゃない」とピンときて、そのまま帰りました。お金を払って10分後に自主退学。もう一人の男の子は他の人のイーゼルをかき分けて、自分のをドンッと置いてました。絵を描くことに関して、自分には彼のような情熱はない、と自覚しましたね。そのうち大学の美術史の授業がおもしろくなって、やっぱりこっち（研究職）かなと思いました。

原田　人生の分岐点で、インスピレーションが働くというか、自分の道に気がついちゃうんですね。

圀府寺　そうですね。ファン・ゴッホの手紙を訳していても、翻訳という仕事は自分には不向きだと思うんですけど、ファン・ゴッホの手紙を訳すという仕事だけは、自分がやるべきことだという確信はありました。

ファン・ゴッホの贋作に感動

原田　研究対象としてファン・ゴッホを選び取ったのには、どのような経緯があるんでしょう？

圀府寺　偶然と必然があります。最初はキュビスムをやろうと思ったんですけど、先生にそう伝えたら、20世紀美術をやっても就職先がありませんよと言われて。素直な大学生だったので、他の研究テーマを探さなくてはと思っていたちょうどその頃、ファン・ゴッホの全作品が載ったカタログ・レゾネの日本語版が刊行された。その頃までにファン・ゴッホの手紙は一通り読み終えてもいたので、これで行こうか、となったんです。

原田　先生が初めてご覧になって感動したファン・ゴッホ作品は、贋作だったとか。

圀府寺　大学に入って初めての夏休みです。大原美術館で見たのが、当時はファン・ゴッホ作とされていた《アルピーユの道》。けっこう感動して、絵葉書も買って、美術館の隣の喫茶店でアイスティーを飲みながら余韻に浸ったんです。ところがその2ヶ月ぐらい後に、たまたま読んでいた文献で、あれがオットー・ヴァッカーという画廊が世に出した贋作の1枚らしいと知った。あの時の感動をいったいどこに片付けたらいいんでしょう?という感じでした。でもその体験はすごく勉強になったし、役に立ちました。本当に、心の底から感動したので。

原田　贋作に感動するのは、ネームバリューのマジックみたいなものがあるからですよね。大切なのは画家の作品か、名前か、バックグラウンドか……。

圀府寺　すべてが絡み合っています。絵を見るということは、純粋な視覚的体験ではありません。事前に画家の名前を知っているだけで、すでに色眼鏡をかけているわけです。作品の背景、歴史を知っていると、その流れの中で見ることにもなるし、色眼鏡は結局、必ずかけているんです。それを自覚し、たとえ色眼鏡を外せなくても、外そうという意識を持てるかどうかが大切ですね。

未踏の道を行く

圀府寺　大学3年生の時、パリ・ツアーに行く予定だった人が行けなくなって、研究室で代わりを探していたことがあって、安いチケットだったから、即、手を挙げました。出発は1週間後。ところが直前になって、行けなくなったはずの人の痔が治ったと言われて、やはりその人が行くことになりました。こっちはすっかり行く気になっていたので、もうこうなったら一人で行くぞと、春休みの1ヶ月ぐらいヨーロッパへ。パリだけじゃなくてイタリア各地、ロンドン、アムステルダムにも行きました。たくさんの貴重な本が手に入りました。

原田 今ならアマゾンで外国の文献も簡単に手に入りますけど、当時は……。

圀府寺 そう。本は現地で買ってスーツケースに詰めて持ち帰るしかなかった。すでに研究職を仕事にするという意識はあったので、美術館では作品を分析的にみて、写真もやたらに撮りました。もちろんフィルムの時代です。飛行機はアンカレッジ経由で、しかもロンドン乗り換えで20時間ぐらい。その後も貧乏学生の状態で日本とオランダを往復していたので、南回りで30時間とか……。

原田 アムステルダムでファン・ゴッホの作品を見て、留学先をそこに決められたのですか？

圀府寺 最初にヨーロッパへ行った時にはまだパリ留学を考えていました。ただ、アムステルダムのファン・ゴッホ美術館には400枚以上の浮世絵があると聞いていたので、思いきってアポなしで行って「浮世絵、全部見たいんですけど」とダメ元で頼んでみたんです。そうしたら奥から年配のキュレーターが出てきて、「今週は無理だけど、来週なら見せてあげる」と言われて、驚きました。日本人だから浮世絵に詳しいだろうという誤解もあったとは思いますが。翌週、本当に収蔵庫で全部見せてくれた。このオープンさに感動しました。アムステルダムの他の美術館も同様で、手続きさえすれば買い物帰りの主婦にだって見せてくれるんです。非常にリベラルで、文化的なものも一通り揃っている町で、気に入りました。それで結局、2年間アムステルダム大学に留学して、修士論文を書きました。奨学金の当てが外れて、日本人学校の補習校で教えるアルバイトで月5万円ぐらいもらって、それで家賃もやりくりしていたので、修士を取ったら早く日本に帰って、久しぶりに湯船に浸かりたいと思っていました。

それなのにヤッフェという担当教授に家に呼ばれて、よかったら博士論文を書かないかと言われたんです。青天の霹靂です。この貧乏な暮らし、暗い道がまだ5年ぐらい続くのかと思い、愕然としました。とても無理だと思って、ある人に相談の手紙を書き始めたんです。ところが書いているうちに「あ、自分は残るつもりなんだ」と気づいてしまって、その手紙は結局、出さずじまい。ヤッフェはその1年後、癌で急逝し、後任でユトレヒトから来た教授が、もともと私が世話になっていた人で、もうやるしかないと、博士論文に取り組んだのです。

当時、ファン・ゴッホ美術館はまだ研究機関として本格的には機能していませんでしたが、その図書室に非常に優秀なライブラリアンがいていろんな研究者と会わせてくれたし、世界中のファン・ゴッホ研究者がそこに集まってきていた。美術館のスタッフが「こんな面白いものがある」と見せてくれたものが博士論文のネタになったりもしました。今思うと、若い頃は無茶ばかり。オランダ語なんて独学だったし、初めてオランダ人とオランダ語で話したのは留学する飛行機の中でした。でも平気で無茶をやれたからこそ開いた扉はあったかもしれませんね。人が作った道とは違うところを歩けば、少なくとも人と違うものを見つけられます。結果オーライです。

原田　今後はどのような研究をされる予定でしょうか？

圀府寺　ファン・ゴッホに関してはその受容に関する論集を出す予定ですが、メインでずっとやっているのは美術史とユダヤのことと美術市場です。ヘブライ語、イディッシュ語の勉強はもう10年ぐらい続けていますけど、新型コロナウイルスのおかげで、アメリカのイディッシュ語の先生が、Ｚｏｏｍでの講座を開設したので、今は金曜日の朝8時からそれを受けています。美術史とユダヤのことは、そのうち本にまとめるつもりですが、まずはユダヤ人の画商のこと、美術市場のことをやらないといけない。未踏峰に登りたいと思います。

（２０２０年11月27日　兵庫県宝塚市・圀府寺司邸にて）

【インタビューを終えて】

昔からファン・ゴッホに惹かれつつ、彼にだけは手を出してはならぬ、火傷をするからと自戒してきたのに、魅力に抗えず『たゆたえども沈まず』で手を出し、今やどっぷり「ゴッホ沼」にハマってしまった。圀府寺先生のお話を伺っていると、その沼の深さと抜け出しにくさを一層感じる。先生はゴッホ沼の一番の深みに到達したひとりであろう。ゴッホの手紙の新訳のおかげで、私たちも沼底の煌めきに触れることができる。心底感謝です。

あとがき

それにしてもすごい人たちにお会いしてきたものだ。

あらためて本書を読み返してみて、とても自分の体験だとは思えないほど、途轍もない「アート」の達人」たちと対話してきたのだと、しびれるほど感動している。

本書は「芸術新潮」での連載順、つまり原則、対談をした順に掲載されている。最初の対話となった福原義春さんにお目にかかったのは2014年。9年まえ——ということは、人生単位で眺めてみると、私の50代の大部分がこの連載期間にあたる。決して短くない期間だ。

そもそも、なぜこの連載を始めることになったのか。それは、私が創作をする上でいつも心にかかっていたあることに起因する。

私は、いまでは「アート小説」と読者の方々に呼び親しんでいただけるようになったフィクションの一ジャンルを開拓してきた。もちろん、アートやアーティストを題材にした小説は古今東西数えきれないほど存在する。私自身、それらを創作の羅針盤ともしてきた。しかし私が創作の源としてきたのは、アーティストたちに「会いたい」という思いだった。ルソーに会いたい、ピカソに会いたい、会って話を聞きたい。どうしてこの作品が生まれるに至ったのか、そのスタイルはどうやって生み出されたのか？　そもそもあなたはどんな人だったんだろう――かなうことのない願いが私を創作に向かわせた。そう、私はただただ敬愛する芸術家たちに会いたかったのだ。

一方、現代アーティストに目を転じてみると、「会いにいく」ことは可能だ。もちろん、いきなり訪ねていくことはできなくても、連絡することはできるし、メッセージのやり取りだってできるかもしれない。興味を持ってもらえれば、会いにいくことは不可能ではない。ルソーやピカソ相手にはかなわないことが、かなうかもしれない。アーティストに限らず、アートを支えてきた人々、憧れのアートの達人に会いにいって、話を聞くことができる。「あの人」、あのアートの達人と同じ時代を生きている。そのことこそが、私を勇気づけてくれている。

連載が始まってからの約10年で、世の中は大きく変わった。超大国間では新たな冷戦時代を迎え、国家間、民族間の分断が進んだ。感染症が世界を覆い尽くした。軍事クーデター、ウクライナでは戦争が起こった。温暖化が進む世界各地で大規模な自然災害が発生した。同時多発テロが起き、ヘイトクライムという言葉が生まれ、ソーシャルメディアでは個人がいわれなき攻撃を受けた。若者たちは、どうせかなわないから夢など見ないと言い、破れたらつらいから最初から挑戦しないと決める。こう列挙してみると、この10年で人類は希望を失ってきたようにしか思えない。

けれど、ほんとうにそうだろうか。私たちは、希望なき道をこの先も歩んでいくしかないのだろうか。

私たちが歩む道を照らしてくれる人がいる。その人は自分が歩んだ道を私たちに示し、暗闇から抜け出す方法を教えてくれる。大丈夫だと言ってくれる。なぜなら、私たちが歩む道は自分が通ってきた道だと知っているから。

憧れのあの人に会いたい、会って話を聞いてみたい。その思いが翼になり、私は達人たちに会いに翔んでいった。どの人との対話も私の道を照らしてくれた。それが本書を読んだあなたの道も必ず照らしてくれると信じている。

2023年3月

原田マハ

◆本書は「芸術新潮」2014年6月号〜2021年2月号の連載「原田マハ、美のパイオニアに会いに行く」を改題の上、修正したものです。

撮影：御堂義乘……………………… p101
May Zircus………………… p281
広瀬達郎（新潮社）………… p65、p157、p181、p321、p339
菅野健児（新潮社）………… p231、p251
筒口直弘（新潮社）………… 上記以外

原田(はらだ)マハ、アートの達人(たつじん)に会(あ)いにいく

発　行　2023年 3 月 30 日
2　刷　2023年 12 月 15 日

著　者　原田(はらだ)マハ

発行者　佐藤隆信
発行所　株式会社新潮社
〒162-8711　東京都新宿区矢来町 71
電話　編集部　03-3266-5381
読者係　03-3266-5111
https://www.shinchosha.co.jp

装　幀　新潮社装幀室
組　版　新潮社デジタル編集支援室
印刷所　錦明印刷株式会社
製本所　加藤製本株式会社

ISBN 978-4-10-331755-5 C0070